渡瀬 裕哉
Yuya Watase

社会的嘘の終わりと新しい自由

2030年代の日本をどう生きるか

Authoritarianism versus the New Freedom

すばる舎

はじめに ―自己紹介に代えて

本書では「なぜ、多くの人が懸命に働いても自分の展望が持てないのか？」「なぜ、現代の日本で閉塞感を感じるのか？」そして「その閉塞感を乗り越えて生きていくにはどうすれば良いのか？」という難問に対し、筆者なりの回答をまとめている。その難問に対する回答は、筆者の人生の中で得られたものだ。したがって、本書の冒頭において、筆者の自己紹介をさせていただくことをお許し願いたい。

筆者の生家は一般的なサラリーマンの家庭であった。しかし、真面目一辺倒であった父が過労で身体を壊したことから、日本社会のおかしさを感じた。「なぜ、父は身体を壊すまで毎日仕事に通わなくてはならなかったのか」―その疑問の答えを知りたかった。筆者の最初の動機はただそれだけであった。そのため、筆者が大学に入る頃には政治に関して、労働問題の観点から関心を持つようになっていた。

筆者のキャリアはピカピカエリートのソレではない。むしろ、筆者のキャリアは、現場の中で泥と汗、そして忍耐によって構成されている。

幼少時は身体が弱く、10歳まで1年の半分は40度の高熱で寝たきりであった。その後手術を経て、早稲田大学の昼夜開講の社会科学部（実質的に夜学）に進学し、18歳の頃に、自民党の議員事務所の門戸を叩いた。

大学に行った記憶はテストの時だけで、土日も関係なく、毎日働き詰めの学生生活であった。政治家の地元事務所の仕事は過酷で、大半の人間は1年以内に根を上げて辞めていく。

筆者は「ここで逃げたら負けだ」と決意し、ほぼ無休、朝6時台の街頭演説の街頭演説準備から始まり、地域回りの現場をこなし、数年間もの間、ボロボロになりながら選挙活動のイロハを習得した。途方もない数の有権者と会話し、都議・区議・衆議の複雑な人間関係を目の当たりにし、権力闘争の現場を垣間見るとともに、表面上、無党派層向けに訴えている政策が「お飾り」に過ぎないことも学んだ。

この時、世襲支配の現実、役所との関係、さまざまな利益団体などとの関係の一端を現場で経験できたことは、何よりも得難い経験であった。

同事務所での経験は、「社会の目に見えない壁の厚さ」を感じるには十分であった。当時、仕事帰りの夜空を見上げながら、「世襲でも何でもない自分は、政治の世界では一生、半ば奴隷のような扱いを受けて過ごすのだろうな」と思ったものだ。（ちなみに、筆者の事務所は珍しく非世襲の叩き上げであり、議員も秘書のボスも、人間的には気の良い人たちであったが、それでも虚しさは感じざるを得なかった）

議員事務所とは少し距離を置いた後、先進的な活動をされていた大学教授の御縁もあり、地方自治体の行政改革をお手伝いするＮＰＯ法人を立ち上げることになった。筆者は「政治のあり方」に強い疑問を抱いていたこともあり、やる気がある行政職員と一緒に地方自治体の現場を変えていくことで、「世の中の一端が変わるのではないか」と期待していた。

筆者が創設したＮＰＯ法人は、地方自治体を中心に行われていた「事業仕分け」の事務局を務める一風変わった組織で、民主党の事業仕分けが脚光を浴びる、約10年前の取り組みに関わった。

恵比寿のボロビルの一室を借り、机とＰＣを一台置いて、仲間とともに徹夜仕事に没頭した。地方自治体の仕事の最小単位は「事務事業」という名称で呼ばれている。

この事務事業の一つ一つに対して外部者の視点から、「廃止」「民間委託」「存続」などの分析・評価を行うことが、NPO法人のメインの仕事であった。

職員へのヒアリング、アンケート調査、文献資料調査などのさまざまな観点から評価作業に取り組む過程は大変であったが、抽象的に「政策」と呼ばれている予算や規制などが、現場でどのように機能しているかを知ることができた。

ある地方自治体の事務事業2500個程度をすべて事業仕分けするなど、今から思うと膨大な作業をこなしたと思う。まさに若さがなければできない仕事量であった。

この経験を通じて、中央省庁が立案した机上の空論が、実際の政策執行現場である地方自治体では十分に機能していないことを実感した。

筆者はこのNPO法人での仕事にかまけ過ぎたことで、大学院（公共経営学）は当然のように留年してしまった。ただし、偶然同時期、早稲田大学に在籍していた、ある著名人に出会うことができた。その著名人とは、そのまんま東氏（東国原英夫氏）である。

彼が早大在学中に1回目の宮崎県知事選挙に出馬するということから、知己の紹介でマニフェスト作りをお手伝いすることになった。当時の自分の人脈を駆使してさまざまな業界の専門家を集めて作成されたマニフェストは「そのまんまマニフェスト」と命名された。

東国原氏の出馬後、現実的、かつ実行可能な「そのまんまマニフェスト」はメディアに大いに注目されることになった。（余談であるが、東国原氏は異常な勉強量であり、同氏の知識量は当時から並の政治家を遥かに上回るものだった）

NPO法人の運営だけで生活を成り立たせることは難しかったため、筆者は国際的なNGO団体事務局の業務にも従事していた。

当時、世界的に「企業の社会的責任」（CSR）に関する取り組みが注目されるようになり、日本において、大企業がCSR報告書を発行する必要が生じていた頃である。

このNGO団体は、英国発祥の日米欧政財界のネットワークを持つ組織で、日本におけるCSR報告書作成コンサルティングの先鞭となる事業に取り組んでいた。

筆者もその事務局の一人として、誰もが知っている超大手企業のCSR報告書作りを支援し、企業経営コンサルに関する基本的なノウハウを習得する機会を得ることができた。

国連やその他の国際組織まで巻き込んだ同事務局の業務経験では、欧米によるグローバルな意思決定プロセスが、日本にどのように落とし込まれていくのかを知ることができた。地べたを這い回る活動ばかりしていた筆者が、国際的な政策決定の視座を得る機会となった出来事である。

このような一連の流れを経て、NPO法人を実質的に休眠させた後、筆者は「選挙コンサルティング会社」を起業することになる。

選挙戦のノウハウ、地方自治体の政策知識、経営コンサルを通じた経験などを応用し、選挙の立候補予定者に対して、戦略立案、政策立案、活動立案、スケジュール立案、コスト削減などを提案する作業を行う会社だ。いわゆる「選挙コンサル」と呼ばれる仕事の草分け的な事業であった。

この際、現場に入って泥臭い作業をしたこともあり、与野党を超えて、国政から地方まで、合計20~30程度の選挙に関わることになった。業務には立候補予定者の側近として、さまざまな利益団体との交渉を捌《さば》く役割もあり、多くの政治関係・利害関係者との人脈が形成された。

この業務では首長候補者の参謀役などを務めた際、あらゆる業界の関係者と付き合うことになり、与野党が有する利害関係の奥底まで深くかかわることになった。（余談であるが、選挙の勝ち負けは戦の常で、筆者の役割はあくまでも合理的なプランを示すことであり、それが実行できるか否かは各立候補予定者次第であった。勝ち負けは8割方事前にわかっているので、勝率100％や99％を謳《うた》うコンサル会社はお客様を選んでいる人々だ）

そこまでのキャリアの中で得られた、最も有益な人脈は、米国共和党保守派との関係であった。この人脈は、当時の仕事関係先である代議士事務所からユダヤ教の方を紹介していただいたことがご縁だった。

その方から、選挙の仕事に従事していた筆者に「本場の共和党保守派の選挙を勉強してみたら」というお話があり、ワシントンD.C.にある共和党保守派の選挙訓練機関に派遣されることになった。当時の自分は大学院程度の「読む」英語能力しかなかったが、数年間の米国行脚の苦行を通じて、ある程度の英語も習得した。

最初は「なぜ、この場にジャップがいるのか」といった罵倒なども浴びせられつつ、米国での人脈構築をしていった。

しばらくして、アメリカに家も購入したこともあり、数年間の日米を往復する日々を過ごし、日米共同のイベント開催など、共和党保守派の中では日本でのパートナーの一人と認識されることになった。（そして、この時に得た人脈や知見は、現在の米国政治の見通しを分析する稼業の下地となっている）

ただし、筆者は心の中で、選挙コンサルティングの仕事は廃業する意思を固めていた。理由は公職選挙法の運用が極めて厳しくなっており（冤罪との区別がつかない摘発事例増加）、政治関係の仕事は一般的なイメージと違って利幅が薄く、自分の一生を捧げる仕事としては不適切と判断したからだ。そして何より、「自分が腐敗の一端を担っている」という自己認識が、自分の仕事への嫌悪を生み出したのだった。

そこで筆者は、仲間とともに医療情報に関するIT企業を立ち上げることになった。門外漢の世界ではあったものの、病院の建築構造、LAN配線、システム構築、営業方法、代理店構築、経営管理、資金調達、ありとあらゆる業務を担当した。

数年すると、運良く、この立ち上げた会社が東証一部上場企業に買収されることになり、同企業グループの子会社役員に最年少で就任した。

事業分野が許認可業に非常に近いドメインであったため、ビジネスと規制のズブズブの関係、企業と中央省庁の距離感を別の角度から知ることになる。

業務時間内は同社の仕事に集中し、業務終了後は、ほぼボランティアで政治・選挙関係者と交流する日々を送っていた。

ただし、数年すると他経営陣と親会社との関係が悪化したことにより、煽りを食らった自分も厳しい立場に立たされることになった。

自分自身は親会社との関係は悪くなかったため、そのまま同社に残る道もあったが、「この場所で得るべき知見はすべて得た」と思い、資本も整理し、自主退社という結論を選んだ。

前置きが長くなったが、同社退社後にトランプ政権の誕生と前後して、新たに始めた仕事が、現在の稼業である金融機関・ヘッジファンドに対する米国政治情勢分析の販売事業だ。この仕事は今までのキャリアの集大成とも言える仕事かもしれない。

米国共和党は、外国人にはやや閉鎖的な部分がある政党で、特にトランプ政権を仕切る共和党保守派に関して、日本の政治関係者・経済関係者は十分な人脈を持っていなかった。まして、米国の選挙・政局情勢に関しては、ほぼ、すべての人が何も知らないに等しい有様であった。

メディアでは共和党保守派のことを理解しておらず、選挙実務も何一つ理解していない解説者が幅を利かせ、日本の情報力のなさがあからさまになった時期であった。

筆者は米国共和党保守派が有する、さまざまな政治的ビジネスモデルを日本に輸入することに可能性を感じていたため、米国側との関係は常に維持し、同国の政治情勢を継続的にウォッチし続けていた。

その縁もあって、金融機関各社からお声がけをいただき、分析・予測を販売するようになった。（弊社の仕事としては２０１６～２０２２まで大統領選および上下両院議員選挙の見通しで予想を外したことはない。お客様は学者のフワッとした学術的な話や陰謀論者の妄想よりも「現実に予測が外れない話」を求めているので、弊社のお客様は順調に増え続けている）

また、前職時代の蓄えと米国政治情勢の分析で一定の資産ができたこともあり、現在は、国内外で自由主義経済の重要性を説く慈善事業に関わっている。

これは前述の経験から学んだ知見によって、自由主義経済こそが日本の復活に強くつながることを確信したからだ。

米国時代に得た人脈の中で、世界数十か国にネットワークを持つ、アトラスネットワークというパートナーを得たことにより、国際的な人脈を生かす取り組みを実施している。閉鎖的でお上意識が強い日本の政治風土では、欧米流の自由主義経済の良さを国民に理解してもらう作業はなかなか骨が折れる。

しかし、筆者は日本で政治・行政・ビジネスなど、理論的なことから泥臭い現場までやってきた人間として、「何が正しく、何が間違っているのか」を学んだ社会的責任を果たすため、諦めずに情報発信を続けている。国内では気心が知れた保守系・自由主義系の有識者の方々とのご縁で、シンクタンクなどを設立し、政策提言活動も行っている。有難いことに書籍も複数出版させていただいており、すばる舎からは前著『なぜ、成熟した民主主義は分断を生み出すのか』『2020年大統領選挙後の世界と日本〝トランプorバイデン〟アメリカの選択』を発刊させていただいた。

もちろん筆者自身も万能ではないので、すべての政治、および政策の分野について完全な知識があるわけではない。しかし、数奇なご縁を得続けた結果として、わずか24年のキャリアではあるものの、主に政治分野を中心にシリアルアントレプレナーのキャリアを持った日本人としては、それなりに珍しい人間のように感じる。

そのため、「そろそろ過去の自分が抱いていた問題に、一定の解を示しても良いのではないか」と思うようになった。

したがって、本書の内容は、現在の自分自身から、何も知らずに齢18歳の時に議員事務所を訪ねた、過去の自分の疑問に対する回答でもある。

「なぜ、多くの人が懸命に働いても自分の展望が持てないのか？」
「なぜ、現代の日本で閉塞感を感じるのか？」
「その閉塞感を乗り越えて生きていくにはどうすれば良いのか？」

本書では、筆者が国内外で経験した現実の選挙・政策・ビジネスと国民の関係を基礎として、現在の世界の政治空間に何が起きているのかを解説する。

そのうえで世界にいかなる変化が起き始め、われわれは、どのように対応するべきであるのか、について提言を行う二段構えとなっている。

本書の内容が読者諸氏の人生の意思決定に少しでも役立てば幸いである。

目次

第2章 国民から「人生」を奪う政府の取り組み

第3章 自由な社会のあり方

第4章 「自由な社会」の人生の生き方

第1章

権威主義が人間を不幸にする

古いモデル、露骨な介入を行う権威主義1.0

現代日本を覆う、「息苦しさ」の原因

筆者と同じように、今の日本の社会の雰囲気が「空虚である」または「重苦しい」と感じる人もいると思う。その原因は「権威主義の蔓延」にある。

しかし、読者の多くは突然「権威主義」と言われても、直《す》ぐにはピンとこないだろう。そこで、まずは「権威主義」とはどのようなもので、現代社会でどのように進化を遂げてきているかを説明する。

自分が何らかの社会的な言動を実施するにあたり、

「周囲にどう思われるか？」
「自分の身の上に、どのような変化が起き得るのか」

ということを意識することは当然だ。この問題は、その人が住んでいる国によって、意味合いが大きく異なることになる。

まずは、日本人と大きく異なる環境に置かれた国の人々の現状から確認していこう。

現代でも世界の多くの国では現職の国のトップを批判することはご法度だ。日本では安倍政権時代に「アベ政治を許さない」などの発言が堂々と巷で主張されていたが、そのような言動を行うことが、自分や家族の生命・財産に致命的な事態を引き起こす国も存在する。

「世界一幸福な国」の実態

そこで、筆者が無知な若かりし頃に出席した国際会議で経験した、あるエピソードを己の恥を忍んで紹介しよう。

筆者が出席した国際会議は、世界各国からエコノミストやシンクタンク関係者が集まった自由経済に関するカンファレンスであった。

同国際会議は、世界各国の持ち回りで開催される年次イベントで、その年のイベント開催地はインドのニューデリーであった。そのため、南アジアの国からの参加者も多く、筆者の席の隣にはブータンから来た男性が座っていた。

この国際会議の目的は、各国の自由主義者のネットワークを作ることも含まれており、隣に座った人との間で何らかの会話を交わして意見交換することは、必須の礼儀のようなものだった。したがって、自分も隣の席のブータン人の彼と何か話すことが暗に求められたのだが、特に会話の内容は見つからなかった。お互いに自己紹介はしたものの、特にそれ以上話すこともないので、会話を継続することにやや難儀してしまった。

筆者はブータンに関する情報を無理やり脳内から捻《ひね》りだし、当時ブータン国王夫妻の来日に合わせて、日本のメディアがブータン国王を「世界一幸福な国の王様」と紹介していたことを思い出した。そこで、話のネタとして、「君の国は世界一幸せということになっているらしいね。実際はどうなの？」と尋ねてみた。すると、彼は「お前は何を言っているのだ？」という表情を顔に浮かべながら、こう言い放った。

「国王だけな！」

私は彼の発言に面食らった。まさかそう切り返してくるとは。

ただし、彼の回答に興味を持った筆者は「その話は非常に面白いので英語でレポートを書いてくれないか、日本で世界一幸福な国の実態として紹介したい」と追加で聞いてみた。すると、彼は、

「お前は俺を殺そうとしているのか？」

と真顔で回答してきた。

後で調べてわかったが、世界一幸福な国と言われた国は、実際には世界で最も恐ろしい国の一つであった。同国ではネパール系住民の排斥など、著しい人権侵害が行われていたのだ。

筆者は彼に対して「何と失礼なことを聞いてしまったのか」と己を恥じたが、この時の彼の回答は、一生、心に残るものになった。

権威主義の国に暮らすということ

日本のような先進国と異なり、権威主義的な政府による強力な圧力の下で暮らしている人にとって、その息苦しさはさぞ強烈なものだろう。

世界には、いわゆる権威主義的な圧政国家は腐るほど存在している。むしろ、どちらかというと、人権を重視する国家よりも、強権的に人権蹂躙《じゅうりん》を平気で行う国家のほうが世界では多いと言えるかもしれない。

直近では中国・新疆ウイグル自治区を巡る国際情勢が、それを端的に表している。実際、2021年10月、国際連合総会第三委員会（人権問題）において、中国・新疆ウイグル自治区の人権状況を巡って、日米欧などの43か国が「拷問や性暴力などの人権侵害が組織に行われている」とし、国連人権高等弁務官の現地視察を受け入れるように求めた。

これに対して、キューバなどの62か国が中国擁護の姿勢を示し、内政不干渉を重視する立場を打ち出した。「内政不干渉」と言えば聞こえは良いが、要は、どの国も他人様に見せられない人権問題を抱えているということだ。

もちろん、国連人権高等弁務官の現地視察に反対した国家も、国内事情はさまざまであり、どこまで人権侵害的な状態に置かれているかは異なる。また、中国による巨額のODAの見返りとして投票した国も少なくないだろう。

しかし、人権問題について、欧米による干渉を恐れる権威主義国家が、世界全体の多数であるということは明らかだった。

このような権威主義国家は、必ずしも露骨な政府批判に対してのみ、国民に強圧的な対応を取るわけではない。

権威主義の源泉は、政府の権威だけでなく、習俗や宗教などの文化的要因によっても形作られる。そして、習俗や教義を強制するために、政府機関が創設・利用されることもしばしばだ。

2022年9月、イランでは、「頭髪を適切にヒジャブで覆っていなかった」という理由で若い女性（マサ・アミニ）が道徳警察に逮捕された。その後、マサ・アミニは数日後に死亡する。死因については、道徳警察による暴行の目撃証言があるものの、イラン当局は心臓発作によるものとした。

そもそも道徳警察の存在に驚かされるところもあるが、これは伝統的な習俗や宗教的な戒律による権威主義の事例である。イランの場合、大統領・議会などの選挙は実施されており、なおかつ国民による一定の抗議デモは開くことができる。

しかし、国家体制そのものはイスラム法の神権的な体制が維持されており、事実上、最高指導者が政治権力者を選ぶことができ、なおかつ社会のあらゆる事柄に対して決定できる。そして、それを国民に強制する装置として道徳警察が存在しているのだ。

このような個人の価値観に関する部分まで踏み込んで国家権力が介入する事例は、近代国家の概念が未成熟な地域では良くあることだ。

イランの隣国であるアフガニスタンでも「勧善懲悪省」という名称の国家組織が存在しており、イスラム法に反する行為をした疑いを持たれた人物は、同機関によって検挙される。

実はイランもアフガニスタンも、イスラム教による原理主義的な体制が敷かれる以前は、すべての女性が必ずしもヒジャブ着用を義務付けられる社会状況ではなかった。しかし、欧米化した近代的社会の空気は、伝統的な宗教を重視する革命の前に失われることになった。

このような、王政や神権政治による露骨な権威主義のあり方を「権威主義1.0」としよう。日本のような先進国とはかなりかけ離れた存在である。そのため、多くの読者諸氏には理解しがたい部分もあるだろうが、世界は「権威主義1.0国家」が無数に残存しているのが実態である。

権威主義2.0へ進化（一党独裁）

権威主義2.0に見られる2つのパターン

イランやアフガニスタンが行っている露骨な人権侵害行為は、権威主義国としても、欧米先進国から批判を浴びて、人道上の理由による干渉を招きやすく、なおかつ自国民からの批判も強まりやすい「悪手」である。

そのため、多くの現代の権威主義国では、「権威主義2.0」とも言うべき、自国民に対する抑圧手法を開発している。

「権威主義2.0」は、「リベラルな価値観を押し付ける欧米からの干渉を最小化にすべく進化した権威主義体制」と表現しても良いだろう。

第二次世界大戦以降、世界情勢は大きく変わることになった。

それまでの覇権国による直接的な植民地支配は徐々に崩壊し、さらには世界最大の監獄であったソ連の崩壊を経て、国際政治のルールは、欧米先進国が標榜した立憲的国際秩序を規範とする体制に移行した。

それは、軍事力によって他国の行動を統制するのではなく、法の支配や人権などの「普遍的」とされる「自由で民主的な価値観」を前提とし、各国がその価値観に自発的に順応することを求めるものであった。

もちろん立憲的国際秩序は、米国が有する圧倒的な軍事力と経済力を背景とした体制であることは言うまでもない。しかし、実際に20世紀末までは、米国の軍事力と経済力が国際的な公共財として実質的に機能し、世界全体が立憲的国際秩序の方向に歩みを進めることが信じられていた。

世界中に展開される米空母打撃群と米国内市場の巨大な需要は、世界各国に立憲的国際秩序の枠組みに参加する動機を与えてきた。

また、欧州ではＥＵが誕生したことも同様の効果があった。

EUは軍事的な魅力には欠けるものの、欧州市場にアクセスするために東欧・南欧諸国はEUの民主化基準に政治・社会体制を適合させることが求められた。

冷戦後、欧米のリベラル勢力が創り出した国際秩序は、確かに、世界全体を変えていくかのように見えた。

しかし、政治は生き物のようなものだ。新たに与えられた環境の中、多くの権威主義国は形を変えて生き残りを図った。その帰結が「権威主義2.0」と呼ぶべき体制である。

この権威主義2.0のパターンは大きく分けて2つのタイプに分類できる。

第一のタイプは、既存の権威主義体制がより精緻、かつ軽度の抑圧を加えて社会統制を行う形に進化したものだ。

第二のタイプは、民主主義体制が制度変更などを通じて徐々に権威主義体制に退化するものだ。

この2つのタイプは現実には似通う部分もあるが、その出発点は根本的に異なる点に差異がある。そのため、権威主義2.0は前述の2タイプに分かれると認識して良いだろう。

権威主義2.0　タイプ1・中国

現代の中華人民共和国は第一のタイプに属する。既存の権威主義体制がより精緻な軽度の抑圧を加える形に進化した代表例だ。

中国では中国共産党による一党独裁体制を敷きながらも、現代では同国の国民の多くは経済的な繁栄を享受している。毛沢東による文化大革命などの大弾圧が行われた過去の状況とは雲泥の差だ。中国国民は、中国共産党の統治に対する疑義を表明することがなければ、社会的な発言なども自由に行うことが黙認されている。

むしろ、経済環境においては、国営企業の既得権に触れないなら、新サービスの導入などに対して規制のグレーゾーンも広い。そのため、日本より利便性が高いサービスが導入されるケースも少なくない。

同国が共産主義国であるという偏見を持たずに見ると、中国共産党による統治は、政治的・社会的に従順な国民から一定の信頼を得ているように見える。

ただし、中国共産党はこの政治的・社会的な小康状態を保つために、きめ細やかな対応を実施している。

中国の報道機関は政府によって完全にコントロールされた状態にある。中国に批判的な外国人ジャーナリストなどの入国が許されないケースも少なくない。

さらに、Googleなどの検索エンジンは使用できず、国産検索エンジンの百度が主に利用される。欧米のSNSも利用できない上、微博などの国産SNSに関しては書き込み内容をチェックする「金盾」と呼ばれる検閲体制も整備されている。（習近平に似ているというだけで熊のプーさんすら検索できない）旧正月に放映される白々しい民族調和の番組演出に対する疑問を持ったとしても、それを社会的に共有する方法は存在しない。

つまり、中国共産党は、一部の本当に影響がある人物の発言など（これらは社会的地位が奪われるか、その罪を問われる）を除いて、一般国民の情報を知る機会や情報を発信する方法を制限することによって、中国共産党体制転覆の引き金になる政権批判の芽を摘んでいるのだ。

さらには人々を自発的に統制下に置く仕組みとして、習近平政権下では、「社会信用体系建設計画要綱」が制定されており、国民に対して18桁のマイナンバーを付与し、個人の社会的な行動に関する信用スコアが測定されている。

この信用スコアは犯罪歴や債務不履行などによって減点される方式となっているが、

交通機関の利用制限といったペナルティなどが課されることもある。

これは、政府にとってリスクとなる「不穏分子」になり得る層を最小化するために、強圧的な手法ではなく、自発的に大人しくさせる仕組みと言えるだろう。

前述のとおり、毛沢東時代に行われた文化大革命や、江沢民時代に行われた法輪功に対する弾圧、そして民主化を求める学生を殺害した天安門事件など、過去の中国共産党は、露骨で強圧的な手法を用いて政治的不穏分子を排除してきた。

しかし、現状では情報を巧みにコントロールすることを通じ、国民に対して強いストレスを与えることなく、現状の支配体制を維持することに成功している。

新疆ウイグル自治区の人権侵害やロックダウンに反対する学生の抗議運動なども、一部では騒ぎになったものの、現実に、中国共産党による支配体制を覆すほどの社会的動揺にはつながっていない。

IT技術による国家統制—デジタル・レーニン主義

このようなデジタル技術を生かした人々の統制手法は「デジタル・レーニン主義」と呼ばれている。その名付け親は、ドイツの政治学者セバスチャン・ハイルマン氏だ。[*1]

＊1　Sebastian Heilmann
Gründungsdirektor MERICS
https://merics.org/de/team/sebastian-heilmann

ハイルマン氏はデジタル技術による監視社会や、その背景となる思想の総称として「デジタル・レーニン主義」と定義している。旧ソ連の統制社会を彷彿とさせる名称は、中央集権化されたデジタル技術の進歩が、いかに危険であるかを的確に指摘した概念だと言えるだろう。人間の位置情報などを含めたプライバシーを守る必要がない権威主義国家において、デジタル・レーニン主義は、その本領を発揮している。

習近平体制における最大の国内不穏分子は、同政権による反腐敗運動によって屈辱を受けた、約500万人の中央・地方政府高官の存在である。

しかし、習近平体制が不動産バブルの崩壊などの経済的失敗を犯さない限り、この手の政治的エリートで構成される不穏分子は実際には反政府行動を起こさないだろう。その行動を政府に知られないようにSNSなどでも最新の注意を払っている。彼らは雌伏し、その機会を窺《うかが》い続けるに留まるはずだ。

また、仮に経済環境が厳しい局面になったとしても、前述のように巧妙に統制されたメディアやSNSを使用し、対外的なナショナリズムを称揚する形で、政権は批判をそらすことができる。そのため、今後しばらくの間、「中国共産党の権威主義体制が崩壊する」というのは、楽観的過ぎる見通しと言えるだろう。(日本の一部でもて囃《はや》された中国崩壊論がことごとくデタラメであった理由は、中国共産党体制が単純な強圧的政治体制ではなく、権威主義2.0に移行していたことを認識できていなかったことも大きい）

ただし、このような状況は、欧米先進国の基準では人権侵害的な状態と言える。そのため、留学などを経て欧米社会を経験した中国人の一部は、違和感を持っている可能性もある。しかし、そのような感覚を持つ人々は中国13億人全体から見れば、極めて少数に過ぎない。大海に水滴を垂らすようなものだ。

中国国民の大半は、中国共産党一党支配体制に疑問を呈さない限り、自由な発言や、自由な生活を楽しむことができている。そのため、多くの中国国民は、現在の中国共産党一党支配の権威主義体制に極度の政治的ストレスを抱えているとは到底言えない。

そして、大半の中国国民は政治的・社会的な生き辛さよりも、経済的な栄達を求めて日々過ごしているように見える。人々は心の奥底には自由を求める意思を持っているかもしれないが、実際には、自由を知ることも、自由の価値を認識することも難しくなっているだろう。中国共産党による統治は権威主義2.0の第一モデルタイプとなる。

選挙が存在しないタイプの一党独裁型の権威主義国にとって、中国共産党は理想的な統治モデルとして、ますます受け入れられていくことになるだろう。

権威主義2.0（民主主義の後退）

権威主義2.0 タイプ2・ロシア

新興財閥の解体と治安・政治権力の集中

権威主義2.0の第二のタイプは、民主主義体制が徐々に権威主義体制に退化するタイプである。このタイプの最も顕著な事例は、ロシア連邦共和国だろう。

ロシアはソ連崩壊後に民主主義体制に移行したものの、その崩壊の過程で、ロシア経済の大半を腐敗した新興財閥（オリガルヒ）や、旧ソ連高級官僚（ノーメンクラトゥーラ）によって寡占される状態に陥った。そのため、同国経済は大混乱に陥るとともに、治安面でも非常に危機的な事態が発生することになった。

そのような腐敗と混乱による惨状を是正する存在として、プリマコフ元首相ら「シロヴィキ」と呼ばれる治安機関関係者が再台頭し、その政治権力は、現在のプーチン大統領が引き継ぐことになった。

政権を奪取した当時、プーチン大統領は自らの政治的反対者であった一部の新興財閥のトップを粛正した。ベレゾフスキー、ホドルコフスキー、グシンスキーら、ロシア経済の基幹産業であるエネルギー産業や主要メディアの経営権を牛耳っていた新興財閥の経営者は、脱税などの罪で各々投獄、または追放された。

国民はそれらの新興財閥を粛正したプーチン大統領の行為について、公に批判することは少なかった。それどころか、新興財閥を粛正するプーチン大統領が庶民の味方であるように認識したロシア人も少なくなかっただろう。もちろんすべての新興財閥が追放されたわけではなく、プーチン政権と良好な関係を保った勢力やシロヴィキに属する人々には、新たに既得権が配分されることになった。(それこそが政治の本質である)

反米ナショナリズムの利用とジャーナリズムの抑制

また、プーチン政権は反米ナショナリズムも上手に利用してきた。

プーチン大統領が就任した２０００年代当初のロシア社会にも、一定の反米感情が存在していた。筆者は２００１年の9・11の発生時、日本青年会議所の日露交流プロジェクトでモスクワに滞在していた。（余談だが、このプロジェクトは、参加者に「北方四島を返せ」というロシア語だけを覚えさせ、現地にホームステイするという無茶苦茶な企画であった。良い思い出である）

日露の国際会議が行われていた会場に、突然ロシア人スタッフが入ってきて「米国で航空機が突っ込んだ！」と叫んだ。彼の様子は困惑してはいたものの、どこか昂揚感が伴う声色であったように記憶している。筆者はそこにロシア人の奥底にある本音のようなものを感じ取った。

プーチン大統領はこの反米感情を利用しつつ、自らの政治基盤を固めていくことに成功したと言えるだろう。しかし、当時の米国は、ロシアに権威主義体制復活の兆候を見ながらも、テロとの戦いを優先し、プーチン政権が立憲的国際秩序から逸脱しつつあったことに十分な関心を払わなかった。

オバマ時代に旧ソ連構成諸国で発生した民主化運動である「カラー革命」は、ロシアの再権威主義化をいっそう推し進めることになった。カラー革命とは旧ソ連構成国に残存した権威主義体制を、民主化勢力が打倒した政治運動のことだ。

一連のカラー革命に反発したロシアでは、ジャーナリズムの弾圧は熾烈《しれつ》さを強めるとともに、プーチン体制にとって不都合と見なされた外国のNGOは、同国内での活動を禁止された。一例を挙げよう・ノーヴァヤ・ガゼータ紙評論員であったアンナ・ポリトコフスカヤはチェチェン問題や、プーチン支配に対して反旗を翻した人物で、国際的にも著名なジャーナリストであった。しかし、彼女は2006年に自宅のエレベーター内で射殺され、事件の真相はいまだ究明されていない。

このようなジャーナリスト殺害という直接的な方法に及ばなくても、ロシア国内に存在していた、影響力が強いインターネットメディアに関して、政府がメディアの運営者に所有権を手放すよう要求したり、外国メディアの閲覧規制を導入するなどの情報統制措置が導入された。

また、2022年に、ノーベル平和賞に選ばれた、旧ソ連時代からの弾圧の歴史を記録するNGO「メモリアル」は、プーチン政権から2016年から「外国の代理人」に指定されてり、事実上「スパイ」としての扱いを受けている。

同団体は2021年、外国からの資金を得て活動していることを理由として、最高裁判所から解散命令を受けている。

選挙制度の変更と権力集中

プーチン政権では選挙制度の変更も積極的に実施されている。

連邦を構成する共和国の知事は2000年に公選制が廃止されて任命制に移行した。当時の著しい国内情勢の混乱を収めるために、モスクワによる中央集権体制の構築が求められたことが背景にある。そして、国内の治安状況回復後、2012年から再び共和国の知事選挙は公選制が復活することになる。

しかし、その内容は必ずしも従前の制度と同一のものではなかった。

大統領による候補者に対する事前協議、与党に有利な立候補者基準の導入、大統領による知事の解任権などが、公選制復活に伴う制度変更として組み込まれていたのだ。このような過程は明らかに民主主義の後退ではあるものの、議会による法改正を経る形で行われており、形式的には「ロシア国民による承認」を得ている。

そして2020年、プーチン政権は憲法改正に踏み切っている。この憲法改正は

「プーチン大統領の院政につながるものではないか」と評価された。

その改正内容も国民の権利を弱体化させるとともに、愛国主義に基づく権威主義的な様相を強めるものであった。具体的には、大統領の要求による憲法裁判所に対する法案審査請求権導入、大統領が任命する上院議員数の倍増、検事総長らの検察官の任免権限掌握などの措置が行われた。この憲法改正でも、国民から一定の支持を取り付けた形とするため、法的には必要がなかった国民投票があえて実施されている。

自由民主主義国家がロシアから学ぶこと

以上のように、プーチンのロシアは、暗殺や解散命令などの強引な手法はピンポイントに抑えつつ、民主主義国として一定の立法過程のプロセスを経ながら、民主主義体制を骨抜きとするために、さまざまな措置を講じてきた。

その過程を通じて、さまざまな制度変更によって、権威主義化に対して警鐘を鳴らしてきた人々が社会的に排除されていった。

しかし、その社会的排除の仕方は極めて巧みであり、排除の過程では極めて反抗的なリベラル勢力以外の人々は黙認し続けてきた。

ウクライナ侵攻によって強制動員された一部の地方の共和国などでは政治的動揺が見られつつあるが、誇大妄想的な軍事侵攻作戦の大失敗を経ても、プーチン政権が崩壊する様子はいまだ見られない。これはロシア国民が自ら自由を忘れてきてしまった帰結であろう。

プーチン政権の手法は、民主主義国が権威主義国に徐々に退化していく教科書のような取り組みであり、民主主義国の政治指導者の中にも同国の手法を参考にする人々が出現し始めていることは否めない。

権威主義3.0「リベラルな民主主義」の権威主義化

さて、ここまで従来までの権威主義国、または民主主義が後退したと見なされている国について考察してきた。しかし、西側先進国でも権威主義とは全く無縁であるとは言えない。むしろ、新たなタイプの「権威主義3.0」とも呼べる現象が発生している。ただし、西側諸国においては、権威主義1.0や権威主義2.0の国々と同様の現象が起きているというわけではない。

リベラルな政治勢力やメディアが「トランプ政権や安倍政権は権威主義だ！」と誇張したところで、前述した本物の権威主義国と比べれば、それらの主張が極めてナンセンスなレッテル貼りであることは一目瞭然であり、権威主義1.0や権威主義2.0の過酷さを舐《な》めすぎている。

図1　権威主義のパターン比較

	政治・社会体制	該当例
権威主義1.0	国家権力が個人の価値観に対して、直接介入する政治体制	王政や神権政治（イラン・アフガニスタンなど）
権威主義2.0	①既存の権威主義体制がより精緻な抑圧を加えて社会統制を行う形に進化したもの ②民主主義体制が制度変更などを通じて徐々に権威主義体制に退化するもの	①中国 ②ロシア
権威主義3.0	西側諸国などにおいて、本来は自由を求めて行われてきたリベラルな運動が社会を抑制する暴走プロセスに入った状態でリベラル勢力が自らの価値観を事実上新たな権威として国民に押し付け始めている状態	西側諸国に見られる行き過ぎたポリティカル・コレクトネス、Woke、プラットフォーマーによる言論統制、SGDsなど

権威主義の本場である習近平国家主席やプーチン大統領にとっても、政争に負けても死ぬわけではない西側諸国の軟弱な保守政権と比べられることは心外だろう。

しかし、西側先進国においても、多くの人々は「無力感」と「社会的な息苦しさ」を感じている人が増えている。それは国民を真綿で締め上げるような権威主義3.0が創り出した行き過ぎた「ポリティカル・コレクトネス」（政治的正しさ）の蔓延に起因する。（図1）

西側の民主主義国では学問の自由、言論の自由、その他各種人権の保護が当然に認められている。そのため、人々が自らの社会について自由な問題意識に基づいて調査・研究を深め、社会的課題や改善方法を明らかにし、政府批判も自由にしながら、民主主義的なプロセスを経て、是正していくことが可能となっている。

このこと自体は非常に素晴らしい美点であり、われわれ西側諸国に属する人々に物質的・精神的豊かさをもたらす要因となっている。

ただし、「盲目的な正義の行き過ぎ」は常に悲劇を生み出す。西側諸国では、旧来型の権威主義体制が倒れた結果として、本来は自由を求めて行われてきたリベラルな運動が、逆に社会を抑制する暴走プロセスに入っている。つまり、国内に倒すべき敵（権威主義者）を失ったリベラル勢力が、自らの価値観を、事実上「新たな権威」として国民に押し付け始めているのだ。ミイラ取りがミイラになった典型と言えよう。

暴走する「ポリティカル・コレクトネス」が生み出す抑圧

「ポリティカル・コレクトネス」は、民主主義国の根幹である「選挙制度」と一体不可分な存在として、その権威性を高めつつある。

選挙活動の基本は、政党や政治家が自らの政治的メッセージを、そのメッセージの対象となる有権者に届けることで、対象となった有権者から効率的に集票を行うことにある。

そのため、集票のターゲットとなる有権者のペルソナ（人的特性）を明確に定義することは、自らの選挙活動を有利に導くために必須の作業だ。

敵対する陣営を出し抜き、集票のターゲット層を特定するため、欧米の選挙では、社会科学系の学者らが生産する調査は有力な情報源となる。

欧米の学者は「社会的課題を新たに発見し」、「次々と論文を公表すること」が学者として業績評価の指標になっている。

最もポピュラーな学術論文の量産方法は、何らかのテーマに沿って、人々を属性ラベルごとに分類して調査し、その「属性ラベル間の差異」を見つけることだ。

そのため、彼らは毎日にように人々を属性ラベル（性別、年収、学歴、人種、民族、宗教、支持政党、居住地など）によって分割・集合化し、その属性ラベル間の差異を見出す研究に躍起になって取り組んでいる。

そして、その差異を社会的課題（「○○と○○の間で分断が発生している！」）と定義し、リベラルな価値観に基づく解決方法を提言している。

リベラルな価値観で分断される選挙

一例を挙げよう。2016年大統領選挙直後、学者たちはトランプ支持者を「白人、男性、低所得、中西部に住んで思慮に欠けた哀れな人」とし、それらの人々を社会的問題として扱った。

このような社会的問題とされる事象が定義されると、リベラルなメディアは一斉に飛びついて、それがさも一大事であるかのように騒ぎ立てる。

そうして、米国政治のリベラルな政治文脈では、このレッテルを貼られた人々は有色人種や女性に対峙する古典的な権威主義像を満たす人物として描写され、現代の米国社会にとって好ましくない人々として糾弾された。

同一の意見の人々ばかりが集まるSNSが発達していることもあり、その主張はエコーチェンバー（ソーシャルメディア利用において、自分と似た興味関心のユーザーをフォローした結果、自分と似た意見が返ってくるという状況）によって拡大し、それに賛同しない者には事実上の私刑が加えられるようになった。

BLMに見るリベラルな価値観の絶対性

一方、近年の米国ではBlack Lives Matterと呼ばれる黒人の人権擁護を建前とした過激な暴力行為が横行するようになっている。

ミネソタ州でアフリカ系のジョージ・フロイド氏が警察官の行き過ぎた行為によって死亡した事件を受け、全米に拡大した暴動は、実際には「暴力的行為の正当性」を主張できるものではなかった。

その際、リベラルな大手メディアの大半は暴力行為を黙殺した。さらに、「人種差別は米国の歴史にビルドインされた問題である」とする批判的人種理論が浸透しつつあることで、米国では合衆国建国の象徴である偉人の銅像が引きずり倒される事例なども出てきているが、やはり米国の大手リベラルメディアは、それらの問題を批判的に報じることは皆無だ。

筆者はジョージ・フロイド氏の死は繰り返されるべきではないと思うし、米国においてアフリカ系の人々がさまざまな面で不利な状況に置かれていることは否定しない。

しかし、前述のとおり、米国の政治環境において、白人に対していかなるレッテルを貼ったとしても大きな批判の対象にはならないが、アフリカ系の人権擁護を建前としたリベラルな文脈の活動を批判することは、いかなる状況でも困難だ。

これは米国において、リベラルな価値観が「事実上反論できない社会的権威」となっていることを意味する。

リベラルな価値観に基づいた富裕層攻撃

リベラルな価値観によって「社会悪」のレッテルの対象となった富裕層も私的な暴力の標的になる。

富裕層に対する憎悪は著しく、2018年5月にドイツでは「地主を殺せ」という巨大なプラカードを掲げる人々が現れ、その1年後にはギロチンのポスターを掲げた大規模デモを行った。

2020年6月にはワシントンD.C.のデモ隊が、Amazonの創業者である、ジェフ・ベゾスの自宅前にギロチンを設置するパフォーマンスを実施した。

筆者は富裕層や貧困層の間にある軋轢《あつれき》自体には強い関心は有していない。ただし、仮にこのパフォーマンスの対象が別の対象に対して行われた場合、それは米国社会として容認されるものであっただろうか。

それがいかなる人物であったとしても、他人の家の前に、その人物の殺害を示唆するギロチンを設置することは許されるべきではない。

しかし、リベラルな価値観である「格差是正」に合致する文脈で行われた行為は、社会問題として激しく批判されることは少ない。むしろ、このような事件が発生すると、リベラル系のコメンテーターは、事件の背景として「経済格差」などの解説を始めるが、それよりも、本来は「他者に対する直接的な蛮行」が批判されるべきことは疑う余地もないはずだが…。

アカデミズムの自由を侵食するリベラルな価値観

このような状況はメディアや社会運動の問題にとどまらない。学問の世界においても同様に「リベラルな権威主義」が幅を利かせ始めている。

現在、米国では保守的な主張を行う学生は、大学の講堂などの施設を借りることすら難しくなっている。そのため、学生によるフリー・スピーチ運動が展開されており、大学での自由な言論の機会を求める運動が拡大している。

リベラルな価値観に反する発言を行う教員の存在に対し、リベラルな社会運動家などから大学に抗議活動が行われることも少なくない。

筆者は学問や言論の問題は、堂々とその妥当性について議論が交わされるべきであると思うが、今やリベラルな価値観に反する主張は発言をすることすら許されない。その言論の妥当性ではなく、発言のイデオロギーによって学問上の職を奪われる環境では、自由な学究活動などおよそ不可能だろう。

企業活動や学校教育に浸透するリベラルな価値観

リベラルな価値観の社会的影響力は拡大し続けており、企業活動にも大きな影響を与えるようになっている。

企業側が心の底から恭順しているか否かは不明であるが、企業が現代のアメリカでリベラルな価値観に反する言動を行うことは危険だ。そのため、最近は「Woke（目覚めた）」企業と呼ばれる、リベラルな価値観を全面的に打ち出す企業が増加している。

企業が積極的にリベラルな価値観に基づく発信を実施することは自由だ。しかし、このWokeな振る舞いをしていない企業は、メディアや市民団体から激しい批判にさらされることになり、場合によっては集団訴訟の対象にもなってしまう。

直近の代表的な事例は、フロリダ州のロン・デサンティス知事が署名した通称・「ドント・セイ・ゲイ法（HB 1557/SB 1834）」だ。

この法律は「10歳未満の子ども向け『性的志向』のプログラム、イベント、および文学を支援するために連邦資金が使用されることを禁止し、連邦施設がそのようなイベントや文学を主催または宣伝することを禁止」するものだ。

この法案は共和党によって制定された。彼らはリベラル勢力によって学校教育などで過度な性教育が行われることが懸念されたからだ。

筆者は、「何をどこまで学校で子どもに教えるか」という政策上の議論が行われることは歓迎する。しかし、その余波は議会での政治的議論から逸脱し、民間企業にまで政治的立場を鮮明にする（リベラルな価値観への信仰告白を要求する）ように迫るようになってしまった。

フロリダ州はディズニーの本拠地でもあるが、そのCEOであるボブ・チャペックは当初は同法案に対して明確な態度を示すことはなかった。しかし、一部のディズニーの従業員が同法案に明確に反対しないCEOの姿勢に反発し、ストライキを実施したことで、メディアが大きく報じる事件が起きた。そのため、ディズニーは同社の関係者が舞台裏で法案を阻止しようとしてきたという言い訳の弁明を強要され、社として同法案に公然と反対を表明しなかったことを謝罪する事態に追い込まれた。

チャペックCEOは、フロリダ州での政治献金の一時停止と、他州で同様の法律と闘っている団体への支援を発表した。

もはや一企業であったとしても、リベラルな価値観を否定する法案に対して、「何も声を上げない選択」すら許されない社会環境となっている。

このような状況はCEOの態度だけでなく、新たに従業員を採用する際の過去の言動の精査にまで及んでいる。

Appleは2021年に採用したばかりの幹部社員をクビにした。その理由は同氏が作家で、過去の著作に女性差別のくだりがあったことが原因であった。

言論の自由は内心の自由よりも制限されるものだ。本件では、同氏が迂闊《うかつ》に文字に残した内容は批判の対象になり得るだろう。しかし、彼をクビにするための従業員による嘆願書には「女性や有色人種に対する同氏の公開された見解が見落とされたり、無視されたりした経緯に関する調査と、そのようなことが二度と起こらないようにするための措置について明確な計画を要求する」と記されていた。

これはその人物自体の問題ではなく、リベラルな価値観に沿って社内システム自体の変更を迫ることが当然視されている内容と言えよう。

権威主義3.0の下では、リベラルな価値観に反する言動は、労働者にとっても事実上生活の糧を失う可能性が増大している。支配的価値観に反するか否か、過去の言動のすべてが監視下に置かれる。そして、その監視プロセスがネットワーク化された社会的システムとして永続的に実装されることが求められるのだ。

このように、中央集権的傾向を有する伝統的なスタイルの権威主義が打倒された結果、先進民主主義国では、リベラルな価値観があらゆる社会システム全体にネットワーク化されてビルドインされた状況となっている。

権威主義3.0はこれまでの権威主義と異なり、自由や民主主義を堂々と主張したうえで、社会システム全体をハックすることにより、自らの主張を多数派として演出する上で成り立っている。そのような権威主義3.0の産物が「ポリティカル・コレクトネス（政治的な正しさ）なのだ。

権威主義3.0を支えるＳＮＳプラットフォーマーによる言論統制

権威主義3.0は、欧米先進国が志向した立憲的秩序に基づく国際政治システムを通じ、世界中に輸出されつつある。

もちろん権威主義3.0が創り出すポリティカル・コレクトネスにも肯定すべき点があり、リベラルな価値観が全面的に否定されるべきものではない。しかし、それがリベラル勢力による言論統制や、リベラルな価値観への盲目的恭順という形になるなら話は別である。

リベラルな価値観による事実上の言論統制の役割を果たしてきた組織はＳＮＳプラットフォーマーである。近年、米国ではＳＮＳプラットフォーマーが保守的な言論を行う人々のアカウントを凍結することが常態化されていた。

その代表的なＳＮＳプラットフォーマーはMeta（Facebook）やTwitterである。

もともと、米国のプラットフォーマー事業では、利用者の投稿内容に関する事実上の検閲に当たる凍結行為が頻発することは想定されていなかった。

同事業が飛躍的に成長したきっかけは、インターネットの黎明期の１９９０年代に制定された「米国通信品位法」に仕掛けられたギミック（仕掛け）によるものだった。

この米国通信品位法第２３０条は、ＩＴ企業やＳＮＳなどのメディアサービスを振興するため、ＳＮＳプラットフォーマーは投稿される情報や表現について免責される特権を得ることが定められていた。その引き換えとしてＳＮＳプラットフォーマーは既存の出版社・メディアが有する編集権を放棄することになった。

出版社・メディアは、掲載内容に対して法的リスクを背負うが、ＳＮＳプラットフォーマーは、第三者が行う投稿の内容に関して責任を取らない立場という区分けがなされた。

ＳＮＳプラットフォーマーは、単なる「場」を提供するだけの企業である、という建前の下で、事業拡大に伴うリスクを免責されて特権的地位を得て、世界的な大企業に発展したのだった。

しかし、米国においてＳＮＳプラットフォーマーの事業が拡大し、そのサービスが政治情勢にまで大きく影響を与えるようになると、それらの事業者は、権威主義3.0の影響を受けることになった。

特にＩＴ企業が本拠地を置く米国の西海岸エリアは、リベラル勢力の本拠地であり、企業が同地域で事業を継続する以上、その価値観に染まることは必然であったように思う。

リベラルな傾向を持つ社員や株主などのステークホルダーからの圧力は、尋常でなかったことは想像に難くない。実際、それらの企業ではポリティカル・コレクトネスに違反したということで従業員がクビになることもしばしばであった。

しかし、権威主義3.0の影響が拡大し続けたことで、ＳＮＳプラットフォーマーも事実上の編集権の行使である「凍結作業」など、事業活動の根幹的な部分に関わるところまで、従来の法的な文脈を逸脱した行為に手を付けざるを得なくなった。

その最たる事例は、トランプ前大統領のTwitterアカウントの凍結である。同氏のアカウントは陰謀論と取れる発言が頻繁に行われていたこともあり、当時の社会情勢に鑑み、アカウントの凍結は治安対策上の観点から評価すべき点があったことは事実だ。

しかし、いかなる理由があったとしても、前大統領に対するアカウント永久凍結の措置は前代未聞のことであった。

このことはTwitter社が自社ポリシーに従っているとは言いつつも、自社の判断によって恣意的に凍結判断の運用を行っていることが露呈した瞬間でもあった。（陰謀論自体の問題は後述する→73、298ページ）

その後、2022年連邦議会中間選挙直前、イーロン・マスク氏がTwitter社を買収し、多くの社員がクビになった。イーロン・マスクは、トレンドトピックの管理やニュースのハイライトを担当していたキューレーションチーム全体を解雇した。

さらに、AI倫理チームに対して同様の対応を行っている。事実上、これは「リベラルな価値観に沿った編集を行ってきた社員を解雇した」ということを意味する。同解雇劇はイーロン・マスクがイデオロギー的な判断で同チームをクビにしたというよりは、共和党が米国通信品位法見直しに着手することを回避するための連邦議会対策の意味があった。

しかしいずれにせよ、イーロン・マスクによる解雇劇でSNSプラットフォーマーは、自らの価値判断で投稿内容の重み付けをしていたことが白日の下にさらされることなった。
このようなキュレーション管理は日本でも実施されていたこともあり、同社の日本社員が大量に解雇された後、お勧め記事でのリベラルなメディアへの誘導が減少したように感じられる。（実際、Twitter社の日本でのトピック記事は解雇発表後に何日も記事が固定化されたまま、何ら更新されることがなかった。これも同社によって恣意的なお勧め記事の選定が行われていた状況を間接的に示唆する現象であったように思う）

特定の価値観に基づく人々によるキュレーション作業は、その人々の価値観をサービス利用者に押し付ける行為そのものと言えよう。

一方、米国のSNSプラットフォーマーは国際的な世論誘導のツールとしての側面もある。筆者は親ロシア勢力がばらまくフェイクニュースの類には与《くみ》しないが、Twitter社が連日のようにウクライナ情勢をトピックとして固定していたことには辟易《へきえき》した。

筆者も含めた日本人は西側勢力であるため、政治的にウクライナ側に立っていることは理解している。ただし、ウクライナもロシアが侵攻する前まで、相当に腐敗した国家の一つであったことは忘れるべきではない。したがって、ロシアによる他国領土への侵攻は批判されるべきであるが、筆者のようにウクライナにシンパシーを感じない人間を全く無視した世論誘導が行われていたことは遺憾だ。

また、ウクライナ侵攻開始当時、英語圏のジャーナリストの一部のアカウントに対して、「ロシアに関連するアカウントである」と表示される仕組みが導入されたことには驚かされた。フェイクニュースは社会悪であり、警戒される対象であるべきだが、当時のTwitter社の対応は行き過ぎた行為であったように思われた。

ＳＮＳプラットフォーマーによる権威主義3.0の押し付けは、欧米以外の国の人々にも平然と行われるようになっている。

持続可能な「権威主義3.0」の目標としてのSDGs

SDGsの欺瞞と押し付けに潜む危険性

権威主義3.0に基づくリベラルな価値観の押し付けは、グローバル企業だけでなく国際機関によっても行われている。

筆者が日本のある地域の会合で出会った、文化団体で活躍しているご婦人の話を紹介しよう。彼女曰く、市の学校教育に関する審議会で「SDGsを担う人材を創るためにESDに取り組む必要はないとガツンと言ってやった」ということだった。大した胆力だと思うが、このようなことを主張できる気骨ある人材は極めて少数だ。

SDGs（Sustainable Development Goals）とは、国連が定めた「持続可能な開発目標」のことであり、ESD（Education for Sustainable Development）は「持続可能な社会の担い

手を育てる教育活動」を指す。ここ数年、日本でもＳＤＧｓがグローバル企業、政府、社会団体に浸透してきた。

地方自治体においては、内閣府から補助金が貰えることもあり、「ＳＤＧｓに沿った取り組みを行います云々」といったお題目を掲げている地域が増えている。

筆者の感想は前述のご婦人と一緒であり、「地球の裏側で決めた計画を後生大事にして妄信するようなら『自治』の看板など下ろしてしまえ」と思う。

もちろん、地球全体のことに対する視野を持つことを否定しているわけではない。しかし、「地球全体のことを考えること＝国連の計画を達成することではない」という認識は必要だ。「自分たちの社会がどうあるべきか」を肌感覚で政治に反映させることができる場が地方自治の現場だ。ハナから権威主義3.0を盲信し、日本の子どもたちに国連の計画に従った価値観を学ばせる場を「自治体」と呼ぶのはナンセンスだろう。

まして、地域の大人が、自分たちの住む場所の課題を、自分たちの日常生活から発見できず、遠く離れた地球の裏側のＮＹで作られた計画に頼る姿を子どもに見せるなど教育上望ましいことではない。

前述のご婦人が示した素朴な感想は、保守主義者であり、自由主義者であるなら当たり前の感想であるが、権威主義3.0下の社会では、必ずしも主流となる言論とは言えない。少なくとも、大学界隈、国際機関界隈、政府関係者界隈で良い顔をしたいなら、「ＳＤＧｓのような国際的な価値観を子どもたちに率先して学ばせるべきだ」と言っておかねば、人でなし、または変人扱いを受けて、非常に居心地の悪い思いをすることになる。

ＳＧＤｓ成立の背景と実態

そもそもＳＤＧｓは、どのようにでき上がったものなのだろうか。

Financial Timesによると、ＳＤＧｓは議論の過程で、目標が8個から17個に、ターゲットが18個から１６９個まで肥大化したという。

これは国際ＮＧＯなどが、必死に自分が取り組んでいる分野を目標やターゲットに含ませるようにねじ込んだ結果であろう。ＳＤＧｓの中に自らの活動領域が組み込まれていないと、国際機関や各国の予算配分で不利益を受けることは火を見るよりも明らかであり、ＳＤＧｓ策定当時に国際開発系ＮＧＯらのタックスイーターたちが必死の形相で自らの利権を盛り込んだ姿が目に浮かぶようだ。

さらにＳＤＧｓが採択された際の国連総会で、ジンバブエ史上最悪の独裁者であるムガベ大統領などもＳＤＧｓを歓迎していた。ムガベ大統領にさえ許容されるのだから、国民への過酷な迫害を続けている他の国々の指導者も、ＳＤＧｓの積極的な賛同者として名前を連ねたのは言うまでもない。

なぜなら、ＳＤＧｓを推進することで西側先進国からのさらなる援助として、これらの独裁者の体制を支えるマネーが注ぎ込まれることになるからだ。

日本人にもわかりやすく言うなら、北朝鮮との間ですらＳＤＧｓに関する合意がなされている。そんな茶番を演じるくらいなら、金王朝の独裁体制を転換する方策を立案することのほうが、人権上有益であることは言うまでもない。

当たり前のことであるが、世界の国民の幸福を真に願うならば、独裁体制から民主制に移行し、市場への適切なアクセスが確保されることこそが重要である。

われわれの手に国連での投票権があれば、独裁国の体制維持につながる支援に「ＹＥＳ」の投票をするだろうか。

われわれが行うべき投票は、独裁国の体制転換を促す「ＹＥＳ」の投票であり、独裁者のために、われわれの税金が実質的に使用されることには「ＮＯ」に決まっている。

グローバルガバナンスの危険性

筆者は国連が「計画」を作って「各国政府」が、それを達成するために税制・規制を用いることに疑問を感じている。

むしろ、「社会主義の焼き直し」のようなプロジェクトは歴史を見れば失敗する上、それが人々に災厄をもたらす可能性を危惧する。

グローバル・ガバナンスの強化は、必ずグローバルな権威主義の台頭を促すことになるだろう。当然であるが、その時には、それらを担うグローバルな政府のガバナンスに関する「投票権」はわれわれの手に存在しない。

国連の多数は、劣悪な政治状態の国々の指導者の手にあり、自国の利益を追求する大国、自らの組織拡大に邁進する国際官僚とその取り巻きが、腐敗した国々からの支持を政治的に利用している。

イデオロギーではなく、実態を見る人々の視点は軽視されている。ＳＤＧｓの指標の肥大化などは、氷山の一角が表出したに過ぎない。

そのような組織が支配する未来、自治を失った未来都市が、ユートピアか、ディストピアか、考えるまでもなくわかることだ。

リベラルな価値観に支えられた権威主義3.0は、個人として考えるなら「当たり前」の判断を軽視し、グローバルな決め事として、反対が困難な装いを纏《まと》いながら、人々に軽薄な特定の価値観の受容を強制してくるのだ。

しかし、そのような話は日本ではほぼ耳にすることはない。その結果として、SDGsのバッチを胸に付けて、国際機関の権威に盲目的に従う、恥ずかしい大人が量産されている。

なぜ、陰謀論やフェイクニュースが影響力を持つのか

権威主義3.0によって生起される陰謀論やフェイクニュースの構造

これまで権威主義1.0、権威主義2.0、権威主義3.0、そして権威主義3.0のグローバル化を概観してきた。この流れを理解すると、実は社会に蔓延しつつある陰謀論やフェイクニュースの正体を同時に知ることにもつながる。

もちろん、一般的に指摘されているように、陰謀論やフェイクニュースの一部は「ロシアなどの権威主義2.0の国家が、権威主義3.0のリベラルな価値観に打撃を与えるために創り出したプロパガンダである」という理解も事実だろう。

しかし、流石にそれらが「ロシアなどが作ったプロパガンダ」だとしても、荒唐無

稽な陰謀論やフェイクニュースを、人々が受容する理由としては説得力が弱すぎる。

だが、現実にトンデモ情報を信じてクーデター未遂を起こす人物まで出てきたのだから、徐々にシャレで済むレベルを超え始めていることは確かだ。

2022年末にドイツで起きた極右組織によるテロ未遂は、恐ろしい事件ではあるものの、全世界にその主張の滑稽さによって乾いた笑いをもたらした。

700年の歴史を持つ貴族であるロイス公ハインリヒ13世が中心となって結成された「帝国市民」と呼ばれる軍事関係者を含む人々が一斉拘束されたからだ。

彼らはドイツ政府を転覆し、首相暗殺を計画していた。現在のドイツ連邦は戦勝国の都合ででき上がった偽物であると盲信し、かつてのドイツ帝国を復活させようとしていたのだ。連邦検事総長の記者会見によると、彼らの共通の特徴としてQアノンなどの陰謀論を情報源としていたことが指摘されている。

実体のない「権威主義」と戦う人々

本来なら情報が人々によって効果的に精査されやすい西側民主主義国で、陰謀論やフェイクニュースが蔓延し、大きな社会問題化しているのはなぜだろうか。

陰謀論やフェイクニュースが蔓延する原因は、権威主義3.0が持つ構造的な問題に起因する。権威主義3.0は、既存の中央集権的な権威主義体制が打倒された後に生まれた、リベラルな価値観による中心性を有さないネットワーク型の権威主義である。

その特徴は、リベラルな価値観がさまざまな社会システムにビルドインされることで生まれたシステムの相互監視による統制にある。

権威主義3.0に対する抵抗運動は、権威主義1.0や権威主義2.0に対するように王政、宗教組織、国家機構など、「形ある存在」に対する反発として、明確な対象を持つことができない。そのため、「ディープステート」（闇の組織）に代表される、「正体不明のネットワークと戦う」という文脈で、その荒唐無稽な言説が受け入れられる余地が生まれてしまうのだ。

もっとも陰謀論者は、現実に目の前に存在する政府を闇の組織のフロントと見做《みな》していることも多い。しかし、彼らは「その背後に存在する巨大な何かと戦っている」と思い込んでいることも事実だ。

彼らに間違いがあるとしたら、彼らが本当に戦っている敵は、特定の結社的な闇の組織ではなく、「リベラルな価値観による、ネットワーク化された権威主義3.0」だということだ。

2021年1月6日、米国で連邦議事堂襲撃事件に参加した陰謀論者の犯人たちは、自らが踏み込んだキャピトルヒル（連邦議事堂）の中には、目に見える闇の組織などがなかったことで呆然としたに違いない。

彼らが戦っているものは物理的に存在しているモノではなく、そこには打倒するべき明確な「敵」など存在していないからだ。もちろん特定の闇の組織に仕えている人物などおらず、そこにあったのは連邦議事堂の空の議席だけであった。

物理的に打倒するべき敵（中心性を帯びた権威主義）の喪失は、陰謀論者が永遠に救われることがない夢遊病に囚われ続ける悲劇を生み出す。

彼らは、陰謀論者同士のコミュニケーションで自己生成されるフェイクニュースを日々消費しつつ、権威主義3.0に対して徒手空拳《としゅくうけん》の戦いを挑み続けているのだ。自分たちの目の前に姿を現さない何かとの戦いを続ける行為と、事実から明らかに逸脱したフェイクニュースを受け入れる行為は表裏一体である。

これは彼らが陥ってしまった錯誤の当然の帰結の一つに過ぎない。陰謀論者は西側先進国で構築された権威主義3.0のネットワークに対して挑むドン・キホーテのようなものだ

ただし、傍から見ると陰謀論者の言動は滑稽ではあるものの、彼らは「従来まで権威主義3.0に対抗する方法論が、何ら示されてこなかったことによる犠牲者」と理解することもできる。

陰謀論者は誰もが笑ってしまうコミカルな存在であるが、彼らが対抗しようとモガキ苦しんでいる権威主義3.0に対し、それを笑う人も、どのように対処するかまでは理解できていない。

日本の閉塞感
権威主義2.0＋権威主義3.0の合体型《ハイブリッド》

ここまで世界で何が起きているのか、権威主義の変質について整理してきた。

では、現代日本社会は一体どのような状況に置かれているだろうか。私たちが感じる無力感や息苦しさは何に起因するものなのだろうか。

日本社会を覆う、ハイブリッド型の権威主義

日本は権威主義2.0と権威主義3.0のハイブリット型であり、その両方の抑圧性が程よい形に合体した「ぬるま湯」のような社会である。

強圧的な権威主義を強く感じることもないが、同時に暖簾《のれん》に腕押し&真綿で締め上

げるような先詰まりも同時に感じる社会だと言えよう。

権威主義2.0としての日本の特徴は、

・エスタブリッシュメント（世襲議員）による露骨な政治支配（小選挙区比例代表）
・凡庸な経営者と天下りを背景とした大手企業の堕落
・記者クラブ制などによるオールドメディアによる情報寡占
・SNS上の世論誘導の取り組み
・少子高齢化によるシルバーデモクラシー（価値観も含む）
・解釈変更による憲法の形骸化　…など

であり、民主主義の形をしつつも、その内実を骨抜きにする要素がしっかりと揃っている。（ある世襲候補者が、自分のHP上に家系図を最前面に掲載して批判を浴びて引っ込めていたが、そこまで愚かなことをしなければ世襲候補者も激しい批判に遭うこともない）

政府は国民に自由な言論は保証しているものの、自由な言論が実際の政治家や官僚たちの権力基盤に影響を与えるルートは事実上機能していない。

日本の意思決定の大半は、与党の世襲政治家、高級官僚、大企業経営者ら一部の人々の意思決定で決まっている。

当選回数が多い世襲政治家が首相の座をたらい回し、高級官僚が秘書官を送り込み、審議会に出席する企業経営者ら「有識者」の了承で物事が進む。

組織化されていない無党派層の人間が何を言おうとも、それを受け入れる仕組みすらまともに存在していない。その暗黙の掟を逸脱することがあれば、イレギュラーの芽は容赦なく摘み取られる。

新参者の挑戦を許さない既得権益層《エスタブリッシュメント》

具体的にエスタブリッシュメントの怒りに触れた事例として、ホリエモンこと堀江貴文氏が挙げられるだろう。

彼がライブドア時代にフジテレビを買収しようと試み、それがエスタブリッシュメントの不興を買ったことは誰が見ても明らかだった。

当時、堀江氏は自民党本部に訪問した際、スーツではなく私服で訪問し、そして元警察官僚であった亀井静香代議士の選挙区に無所属で衆議院議員選挙に出馬した。

堀江氏はその後、「証券取引法違反」で東京地検に逮捕されることになる。

もちろん、当時の堀江氏の言動と逮捕の間には、直接的なつながりはないとされている。しかし、堀江氏を逮捕した特捜部長の発言として「額に汗水垂らして働かない者は許さない」という趣旨の報道があったことも事実だ。その行為がエスタブリッシュメントの報復であることは十分に示唆されていた。

若かりし頃の筆者も、当時買収されそうになったテレビ局側の系列記者から「堀江氏の荒探しをしていた」と耳にしており、この国はアウトサイダーによる挑戦が容易には受け入れられない国であることを悟った事件だった。

また、2009年政権交代時には、小沢一郎氏の周辺で「陸山会事件」が発生した。同事件は小沢氏の関連政治団体である「陸山会」の政治資金収支報告書の記載を巡る問題であった。

大手メディアは連日のように陸山会事件を報道していたが、大事件とされた内容は通常のケースであれば「総務省に収支報告書の記載内容の修正」を申し出れば済む程度のものだった。しかし、秘書らが逮捕された際、真っ当な容疑に関する報道は皆無であり、容疑自体とは直接的な関係が薄いバッシングがメディアに溢《あふ》れ返った。なぜあれほどの理不尽な行為がまかり通ったのか。

小沢氏が率いた民主党は政治主導を標榜していた。その中で、筆者は極めて危険だと感じた報道があったことを覚えている。それは、「民主党政権は各省の局長クラスまでの政治任用を検討」というものだった。

同人事改革案は官僚の既得権を脅かす大問題であり、その中心人物であった小沢氏の影響力を削ぐことは、既得権層にとって死活的な問題であることが明白だった。

日本の近代史は官僚と政治家の政府人事の任命権を争う歴史である。そして、小沢氏もエスタブリッシュメントとの権力闘争に敗れて政治的中心から消えていった一人となった。

このように日本ではエスタブリッシュメントに本気で挑戦しようとすると、必ずその壁にぶち当たってしっぺ返しを食らう例は枚挙に暇がない。

これらの事例はあくまで特別に目立った事案であり、遥かに小さな案件であってもさまざまな既得権益層《エスタブリッシュメント》からの嫌がらせを受け、政治的・経済的・社会的にイノベーションを起こすことが困難に陥った事例は幾らでもあるだろう。

議論の入口に立つことを阻む、見えない「壁」の存在

多くの国民は日本にはタクシー会社と連携した配車アプリしかなく、Uberのような、途上国でも利用できる個人と連携した配車アプリが、なぜ、日本で使用できないかを知らない。（UberはUber Eatsとして単なる出前サービスとして認識されている）

世襲議員や天下りに関する表面的な事象こそ批判はするが、それらを生み出す選挙制度や産業規制の問題は話題にすらならない。

意識高い系の若者はシルバーデモクラシーを批判はしつつも、政党、政治家、御用学者による、根本的な問題解決につながらない世代間闘争の遊戯に巻き込まれている。

学問・メディアの世界でも、政府の御用学者やガス抜きのリベラル知識人が溢《あふ》れかえっている。そのため、日本の権威主義2.0が創り出している薄っぺらな議論の蔓延と

いうやり方によって、国民は既得権の壁をほとんど認識できないままとなっている。そして、効果的に骨抜きにされた形で、制限された営業の自由や言論の自由は保障されていることから、日本国民の大半は、日本が自由で民主主義的な国であることを原則として疑うことはない。

日本では徹底的に完成された権威主義2.0の世界が存在しており、エスタブリッシュメントによる緩やかな支配が惰性によって継続し続けている。今日と同じ明日という幻想を信じて、緩やかな衰退を容認することは暗黙の前提として共有されている。

したがって、社会的な能力が高く、世の中のルールが良くわかっている人ほど、それらのエスタブリッシュメントの暗黙の掟との折り合いをつける大人な態度を示すようになる。

権威主義2.0と3.0が溶け合う日本社会

ただし、日本は中国やロシアのような、単純な権威主義2.0の国よりも状況は複雑である。なぜなら、西側先進国の一員でもあるため、権威主義3.0によるリベラルな価値観によるネットワークの統制も機能しているからだ。

日本の保守政党とされる自由民主党は、欧米の保守政権と比べると遥かにリベラルな政党である。

彼らは憲法改正が可能な議席数を持ったとしても、戦争放棄を謳《うた》った憲法の改正に踏み切ることはなかった。

大きな政府に舵を切り、巨大な福祉国家を築くことにも成功している。そして、時折、社会政策に関して保守的な発言は飛び出すものの、実際の政策として同性婚などを明らかに否定する政策は実行しない。

外国人が中立的な目線で自由民主党の政策を見れば、同政党が相当なリベラル政党だと思っても何ら不思議ではない。

自由民主党を構成するエスタブリッシュメントにとって、リベラルな価値観を受け入れることは、権威主義2.0の本丸を脅かすような支配の本質に関わる問題ではない。

直近では、岸田政権の荒井元秘書官の更迭事件は、自民党がリベラル政権であることを示す事例であろう。同秘書官は官邸記者とのオフレコ取材の内容として、同性愛者に対する露骨なヘイトを口にした。その後、毎日新聞記者がオフレコ破りを実行して発言内容を報じたことで岸田政権は秘書官を更迭処分とすることを即決した。政権延命のために手段を選ぶことはなかった。

このように、権威主義3.0の影響は、政府関係者の進退に及ぶこともある。ただし、権威主義3.0は権威主義2.0が維持される前提で、緩やかな統制として政権に影響を与えていると言えるだろう。

また、権威主義3.0は、主に国民同士の相互牽制のためのシステムとして働いている。例えば、大学教授などが同性婚について発言する場合などは、基本的にそれを肯定することが暗黙の了解として求められている。

ある大学教授が「同性婚は生殖とは関係ないので法的な価値が認められない」とする趣旨をTwitter上に書きこんで炎上する事態があった。権威主義3.0はその言動の是非自体を問題としないことに特徴がある。

Twitter上で同教授の発言を見た一部の人々が、彼の所属大学に対して抗議し、その職を奪うように働きかけるという行為に及んだのだ。

もちろん、Twitterは学術的な場ではないため、そこでの発言に対して、さまざまな反応が出ることは当然である。そして、同教授は自らの発言が引き起こす社会的反応に対する警戒心が低かったことは否めない。

しかし、学者の発言を、その立場を狙うことで黙らせようとする行為は、権威主義3.0の発露の事例として非常に興味深かった。

この事例は比較的多様な価値観が標榜されやすいTwitter上での出来事であったが、大手メディア上での発言はさらに緩やかな圧力の下に置かれる。

大半のTVメディアは事前に粗方の流れを示す台本が配られており、出演者には「この箇所でコメントしてください」という台本が事前に渡される。

コメント内容について、強制されることは原則としてないものの、そのコメントの直前に「番組趣旨に沿った社会的問題の背景説明のムービー」が延々と流されるのが常だ。その背景説明のムービーの内容に真っ向から逆らうコメントを行うには、それなりに発言者の胆力が必要とされる。

筆者は2017年にトランプ政権が発足した直後、米国政治に関する識者としてメディアに呼ばれてコメントしたことがある。その時は、筆者がコメントする直前に、トランプ前大統領が決定した大統領令に関して一方的批判を加える20分程度の背景情報が動画として流された。もちろん、その動画内容はCNNを丸写ししたリベラルな価値観そのものであったことは言うまでもないだろう。

筆者はその後にトランプ政権の大統領令の趣旨について公式な説明を踏まえて説明したが、あのような空気を事前に作られると何とも話しにくいことは確かだ。こちらとしては叩かれ役、悪役商会も顔負けの気分であった。

大学の中でもトランプ政権の政策はおかしい（当然に共和党の政策もおかしい）とする空気が支配的であり、筆者が研究テーマとして提出した「共和党保守派のグラスルーツの研究」に関して、他の研究員のメンバーから「それは渡瀬さんの趣味ですよね」と言われて研究計画が却下されたこともあった。

およそ文系の研究など趣味以外の何物でもないのだが、何とも厳しい風当たりであった。「民主党とオバマを肯定し、共和党とトランプを否定せねば人にあらず」とも言える雰囲気があった。

この時、筆者の研究内容を評価してくれた人々は大学関係者ではなく、金融機関関係者であった。金融機関関係者は権威主義とは無縁で、「分析内容、および将来予測が正確であるか」を重視する人々である。

そのため、金融機関の人々に米国の情報を提供し、収益化することで、筆者は米国政治の研究を辛うじて継続することができた。

本当の情報を知ることができた人は権威主義3.0の制約を受けず、一般の人々が知らない正しい情報を受け取ることができていた。

日本では極めて高度な権威主義2.0体制が運用されており、エスタブリッシュメントの既得権を具体的に犯さない限り、表面上の言論の自由は許されている。

また、西側先進国として権威主義3.0も同時に運用されており、リベラルな価値観から社会のあらゆる側面で「自主規制」または「相互監視」が行われている。

そのため、日本では一般大衆が何か政治的な発言をしても、何の手応えを得ることもできない上、発言の枠自体も実質的に、リベラルな価値観の範囲に自粛される状態となっている。日本の場合、権威主義2.0と権威主義3.0を足して2で割った「権威主義

2.5」と言えるだろう。

人間が無気力になる瞬間とは、将来頑張れば抜け出せる苦境の中にある時ではなく、何の意味もなく不毛な作業を延々と繰り返させられる時だ。

日本に漂う閉塞感は、権威主義2.5が創り出しており、国民（特に若者）は、この体制において何ら未来への展望を見出すこともできず、過去の経済成長の残滓《ざんし》を消費しているだけとなっている。

まさに権威主義は人間を不幸にするシステムと言えるだろう。

第2章
国民から「人生」を奪う政府の取り組み

自分の人生に対する「幸福感」の決定要因

私たちの「幸福」は何に起因するか

第1章では、権威主義の類型について概観してきた。第2章では、進化してきた権威主義が創り出している社会構造と、それらが創り出す統制された未来について考察を深めていこう。

現代社会には漠然とした息苦しさが蔓延しているが、その原因として権威主義が創り出している社会構造を読み解くことは、私たちが次に目指すべき自由な社会のあり方を構想するうえで非常に有意義なことだからだ。

まず、権威主義が創り出す社会構造の問題点を捉える作業に取り組むため、人間が幸福を感じる瞬間とは、どのようなものであるかを知ることから始めよう。

日本で実施された興味深い調査報告書がある。その調査報告書とは、2018年の神戸大学社会システムイノベーションセンターによるアンケート調査報告書『幸福感と自己決定—日本における実証研究』である。[*1]

同調査は、「幸福度に影響を与えている要因」として、所得、学歴、健康、人間関係などのいずれが作用するのかを特定するため、独立行政法人経済産業研究所における「日本経済の成長と生産性向上のための基礎的研究」の一環として行われたものだ。

楽天リサーチを通じて実施した「生活環境と幸福感に関するインターネット調査」（2018年2月8日～2018年2月13日）で、国内約2万人のアンケートが実施されるなど、国内屈指の大規模調査である。同大学が公表した研究ニュースに掲載された調査サマリーでは、以下のように結論がまとめられている。

「年齢との関係では、幸福感は若い時期と老年期に高く、35～49歳で落ち込む『U字型曲線』を描きました。」

＊1神戸大学 社会システムイノベーションセンター
所得や学歴より「自己決定」が幸福度を上げる　2万人を調査
https://www.kobe-u.ac.jp/research_at_kobe/NEWS/news/2018_08_30_01.html

「所得との関係では、所得が増加するにつれて主観的幸福度が増加しますが、変化率の比（弾力性）は1100万円で最大となりました。」

「また、幸福感に与える影響力を比較したところ、健康、人間関係に次ぐ要因として、所得、学歴よりも『自己決定』が強い影響を与えることがわかりました。これは、自己決定によって進路を決定した者は、自らの判断で努力することで目的を達成する可能性が高くなり、また、成果に対しても責任と誇りを持ちやすくなることから、達成感や自尊心により幸福感が高まることにつながっていると考えられます。」

「日本は国全体で見ると『人生の選択の自由』の変数値が低く、そういう社会で自己決定度の高い人が、幸福度が高い傾向にあることは注目に値します。」

この調査結果の興味深い点は、人間が生きていくための基礎的条件である健康（生存欲求）と人間関係（帰属欲求）に続いて、所得や学歴（客観的な承認欲求）よりも、自己決定（自己実現欲求または自己に対する主観的な承認欲求）が重視されている点である。

つまり、人間の「幸福の条件」として、予《あらかじ》め決められたレールの上で大過なく人生を過ごすだけでなく、自由意思に基づいて人生の選択を決定することが、幸福の感情の多寡を左右する大きなウェートになっていることがわかる。

権威主義は人々の人生における自己決定権を奪うように機能する。権威主義1.0、権威主義2.0は、人間の身分を制限すること、社会的な言動を制限すること、人生の職業を制限することなど、あらゆる手段によって、人々の自由を抑圧することを試みている。

リベラルな価値観に基づく権威主義3.0であったとしても同様である。福祉国家の名の下に、人々の福利厚生を向上させることを建前としながら、他者の人生設計に対して深く介入し、人々の自由を阻害し、特定の価値観での人生設計を是とする政策を押し付けている。

そのため、われわれは無意識に自分の人生に関する選択肢を狭めており、人生を無力感や息苦しさを感じて過ごすようになっているのではないか。

本章では、現代社会において所与《しょよ》(与えられた前提)とされているさまざまな仕組みが「自由」という観点から見ると「受け入れ難い取り組みであるか」を深堀りしていく。

人間の感情の是非に政府が平然と介入する社会

孤独・孤立にさせない社会の実現とは

現在、日本政府は国民から人生の喜怒哀楽の一部を奪う段階にまで踏み込もうとしている。このように書くと、「何を大げさな」という声が返ってきそうだが、社会の変化は一気にやってくるものではない。その変化はゆるやかに着実に進むものであり、わずかな変化にも目を光らせておくことが重要である。

そのような観点に立つと、2021年12月28日、日本政府が主催した「第1回　孤独・孤立対策推進会議」[*2]の内容は驚くべきものだった。

この政府の孤独・孤立対策は、心の内面を問題視し、ある種の心を「正しくないも

＊2 内閣府　孤独・孤立対策推進会議
https://www.cas.go.jp/jp/seisaku/kodoku_koritsu_taisakusuishin/index.html

の」として、その是正に踏み込もうとしている。

孤独・孤立対策には、2022年度補正予算、2023年度当初予算合計で、60億円が計上されており、国会による予算承認を経て、日本国民が自ら費用を負担することで、形式上は「国民が心の問題への介入を望んだ」という手続きが取られている。

しかし、政府の予算で、何に幾らの予算がついているかを知っている国民は皆無のはずだ。実際は孤独・孤立対策予算の存在すら知らない人が大半だろう。

それにも関わらず、このような、人間の内面に関わる取り組みが粛々と進んでいることに大きな違和感を覚えざるを得ない。

同会議で配布された「孤独・孤立対策重点計画」には、人間の心から「孤独・孤立を解消する」ことを目的とした各種政策が並べられている。「その政策に本当の効果があるか」は別として、これは恐ろしいことだと言えるだろう。

同計画によると、孤独・孤立とは「人生のあらゆる場面で誰にでも起こり得るもの」であり、当事者個人の問題ではなく、社会環境の変化により孤独・孤立を感じざるを得ない状況に至ったもので、社会全体で対応しなければならない問題とされている。

また、心身の健康面への深刻な影響や、経済的な困窮などの影響も併せて懸念されている。孤独は「主観的概念、ひとりぼっちと感じる精神的な状態」、孤立は「客観的概念、社会とのつながりのない／少ない状態」と定義している。

具体的な活動方針として、「孤独・孤立双方を一体で捉え、多様なアプローチや手法により対応し、『望まない孤独』と『孤立』を対象として取り組む」としている。

さらに、「孤独・孤立の問題やさらなる問題に至らないようにする『予防』の観点が重要」とされ、「孤独・孤立に悩む人を誰ひとり取り残さない社会」「誰もが自己存在感・自己有用感を実感できるような社会」「相互に支え合い、人と人との『つながり』が生まれる社会」を目指して取り組むことが明記された。

同計画でも記載されているとおり、孤独は「主観的問題」に過ぎない。その主観的問題について、当人が政府の介入を望んでいる（本人以外の判断は極めて困難だが）としても、政府が対処に乗り出すことは異常だ。

これは人間の内面にまで政府が踏み込むものだ。まして、孤独を「予防する」とは主観的感情である孤独が生じないようにすることを意味しており、もはや「人の感情を奪うことにコミットメントとしている」とも言えよう。

果たして、その実現可能性は言うまでもなく、その行為の倫理性は一体どのように担保されるのか疑問だ。

もちろん、孤独や孤立は、大半の人間にとって辛い状態であると思う。

人間の本能的な欲求として帰属本能があるため、自分が何にも属していないと感じることは「不安」なことだ。（人によっては、その環境が快適と感じる人がいる可能性はある）

そのため、一見すると日本政府が進めている「孤独や孤立、そして不安という負の感情を取り去ること」は良いことのように思える。

ただしそれは、およそ他者が手をつけてよい領域を遥かに逸脱した、内心の自由を侵害する恐るべき行為でもある。

人間の人生には「喜怒哀楽」があるものだ。喜ばしいこと、怒りを感じること、悲しいこと、楽しいこと、そのすべてが揃って人生だと言えよう。

今、日本政府が実施しようとしている政策は、その国民が人生の中で感じる一部の感情を問題視し、その感情そのものが生じないことを目指すものだ。

「負の感情」とされるものも、実は人生に活力を与える発奮材料となることもある。

一例を挙げよう。ハーバード大学ビジネススクールのアリソン・ウッド・ブルックス教授の研究[*3]によると、緊張（不安）を感じるほど、人間の行為のパフォーマンスが高まる可能性が高まることが指摘された。

この研究はプレゼン前に、緊張を与えたグループ、リラックスを与えたグループ、何もしなかったグループで比較した場合、説得力があるプレゼンを行ったとして評価されたグループは、緊張（不安）が与えられたグループであった。

人間の感情にはすべて意味がある。不快な感情は、その状況を解消するための努力のインセンティブを当事者に与えるものだ。したがって、ある感情自体を否定することと自体を政策目標とすることは必ずしも正しいとは言い切れない。

このような孤独・孤立対策の嚆矢《こうし》は、イギリスのメイ政権であった。2018年、メイ政権では、孤独の問題を公衆衛生上の問題と位置づけ、「孤独な状況がいかに健康問題を誘発するか」という報告書も取りまとめている。

イギリスは後述する「揺りかごから墓場まで」の政策を止めていないどころか、その延長線上にある政策として、国民の心のうちまでコントロールすることで完全な福

＊3 Alison Wood Brooks, Get Excited: Reappraising Pre-Performance Anxiety as Excitement, *American Psychological Association 2014, Vol. 143, No. 3, 1144–1158*
https://www.apa.org/pubs/journals/releases/xge-a0035325.pdf

祉国家を目指していると言えよう。

どのような政策にせよ、舶来信仰によって追随する行為は、控えめに言って無思考が過ぎるのではないか。

好ましい・好ましくないに関わらず、あらゆる感情が存在してこそが人生であり、政府が定義する望ましい感情のみを持つ人生とは実に味気がないものになるだろう。

政府は国民の心の問題に対して、正しい状況、是正するべき状況を定義し、人間の一生の中から喜怒哀楽の一部を消し去ろうとしている。

揺りかごから墓場まで設計されている人生

政府に健康を保証させることの対価

読者諸氏も「揺りかごから墓場まで」という言葉を聞いたことがあるだろう。これは「社会保障制度の充実を象徴する言葉として、第二次世界大戦後にイギリスの労働党が掲げたスローガンである。

第二次世界大戦を勝利した保守党のチャーチル首相は、このスローガンを掲げた労働党のアトリー党首に選挙で敗北した。そして、アトリー労働党政権は医療福祉体制を整備するとともに、英国の重要な基幹産業の国有化を次々と行った。

当時の政治環境では、台頭する共産主義に対抗するために、社会改良的な政策が必要とされていたこともあり、アトリー労働党政権の政策は、イギリス社会に受容されてしまった。このような政治状況の変化は、戦後の危機的な状況下で生活が混乱したことにより、国民が自らの生命や健康を守ることを優先した結果とも言えよう。

また、このような社会の変化は、本章冒頭で取り上げた神戸大学の調査結果に鑑み、人々は苦しい生活の中で幸福の第一条件である「健康」に重きを置く社会改革の道を選択したと捉えることも可能だ。その結果として、先進国では医療、高齢者福祉、子育てなどの社会福祉に関する環境が大幅に改善することになった。

だが、どれほど理想的な政策であったとしても、その代償としての副作用は必ず伴うものだ。政府との契約は悪魔との契約に近いものがある。

人々は健康を得ることと引き換えに、政府に人生設計のプラン自体を明け渡すようになった。「揺りかごから墓場まで」は、「生まれてから死ぬまでのすべてのプロセスがどのようであるべきか」という問いに対して、政府が正しい結論を用意することを意味する。

政府が用意した学校教育などを通じて、われわれは政府が作った人生設計を当然のものとして学ぶ。人生のいつの段階で何をするべきか、どのように過ごすべきか、最後はどのように死んでいくのか、を事前に知らされるのだ。

これは極めて残酷な行為であるように思うが、多くの人々は何の疑問も抱いてすらいないようだ。むしろ、政府が設計した人生設計プランから外れることを恐れ、少しでも将来に不安があれば、政府に新たなプランの作成を求めている。

自由は幸福の条件となっているどころか、耐えがたいほどの苦痛・不安を人々に与えるものになってしまったかのようだ。

この傾向は、福祉国家成立以前の状況を知る世代が他界し、政府による人生設計が普遍化した後の世代が増加したことで拍車がかかっているように感じる。

確かに、自由は人々を不安に陥らせる面もある。そのため、人々が自由から逃走し、政府の庇護に入りたいという気持ちも理解できないわけではない。

しかし、現代を生きる人の大半は、その自由からの逃走を意識的に行う機会すら存在していない。そして、そのことに何の疑問すら抱かない。したがって、**生まれた時から「所与」として存在してきた社会システム自体の問題を認識することは困難になっ**

ている。その結果として、自らの人生に関する無力感や息苦しさの原因すら理解できていない。

中途半端に政府の政策を勉強した現役世代の識者などは、現状の社会保障システムを維持するために頭を使っている。その中には高齢者向けの社会保障負担を削減するため、高齢者の早死にを願っている者まで出現している有様だ。

当然のことながら、人間は社会保障システムを維持するために生まれ、社会保障システムを維持するために死ぬのではない。そのような主客が逆転した議論を恥ずかしげもなく語る人々が「識者」とされる末期的な状況に惨憺《さんたん》たる思いがする。

ただし、そんな彼ら自身もいずれは高齢者となり、自分よりも若い人々に同様の思いを持たれることを知っている。

それはあまりに救いのない未来であり、なるべく見て見ぬふりをして暮らしたいところだ。しかし、一度知ってしまったことを完全に忘れることなど不可能だ。

われわれの人生は終点まで設計されている。そのうえ、人生のあらゆる段階で自己決定権を制限された社会で、明るい未来の展望を持つことはあまりに酷だろう。

戦後日本、福祉国家と戦った山本勝市という忘れられた偉人

自民党が福祉政策を取り入れた背景

「揺りかごから墓場まで」のスローガンの威力は極めて大きく、西側先進国では競って福祉政策の充実が訴えられるようになり、ことごとく福祉政策の充実を訴えるリベラル勢力が政権を握るようになった。

そして、たとえ保守と見なされていた政権であったとしても、過去のような自由放任政策はもはや見向きもされなくなってしまった。日本の政治でも同様の状況が発生したことは周知の事実だ。

政治的な勢いを強める左派勢力に対抗し、1955年に自由党と日本民主党が合併

して自由民主党が誕生した。

自由民主党の誕生は、現代に至るまで日本政治の基本的構図を決定する出来事になった。自由民主党は保守政権とされてきたにも関わらず、政争に勝利するために対抗勢力であった日本社会党の政策を飲み込み続け、日本社会は「大きな政府」への道をひた走ってきたのだった。


ただし、実は自由党と日本民主党が合併する以前、その片翼である自由党は必ずしも大きな政府を是とする政党ではなかった。同党の経済政策ブレーンは経済学者のF・A・ハイエク（Friedrich August von Hayek）研究者として知られた山本勝市氏であった。F・A・ハイエクは社会主義、全体主義を鋭く敵対し、「自生的秩序」に基づく社会のあり方を重視したノーベル経済学者である。

自生的秩序とは、消極的自由に抵触することなく、社会に一定の秩序をもたらす社会的ルールを重視する思想であった。つまり、政府が過度に社会に対する介入を行うことに懐疑的な思想だと言えよう。

山本氏は経済学者であり、国会議員でもあった。彼は現職の国会議員として福祉国家化に断固として反対し、自由経済の重要性について説き続けた。

彼の政策は初期の自由党政策に色濃く反映されていた。したがって、自由党の政策論調は、安易な民間介入に反対し、高度経済成長の土台となる自由経済の活力を引き出すものであった。

しかし今の日本社会において、山本勝市氏を知る人はほとんどいないだろう。なぜなら、政治・経済・社会情勢が急速に福祉国家化する中で、人々は自由を守ろうとした偉人の存在を記憶の彼方に置き去ってしまったからだ。

山本勝市氏の代表的著作は1975年に出版された『福祉国家亡国論』（保険福祉開発研究財団）である。同書の中で福祉がもたらす国民の精神的堕落を鋭く指摘している。

山本氏の慧眼は、福祉国家を「欠陥が多い政治経済システム」として指摘するだけでなく、人々の自由意思を侵害するものとして叩き切った点にある。『福祉国家亡国論』は、同時代の中で、自由を自ら放棄していく日本に対する慟哭《どうこく》の叫びでもあった。

戦後日本の歴史は、高度経済成長を経て、山本勝市氏が望んだものとは真逆の方向性に進路を取った。

1955年、自由経済を推進してきた自由党は革新官僚であった岸信介率いる日本民主党と合併したことで、その経済政策・社会政策に関する根幹を大きく歪《ひず》ませざるを得なかった。

合併新党の運営で主導権を奪った岸信介らの元革新官僚は、政党と政府の癒着《ゆちゃく》関係の象徴である、党の政調部会システムなどを整備し、現在までに至る、政府と与党が一体化した国家資本主義体制を急速に構築した。

その一環として、政党の事前審査を前提とした党議拘束（所属政党議員は全員必ず賛否を一致させるルール）が導入されたことで、国会での与党も含めた自由闊達《かったつ》な予算討論すら失われることになった。

その癒着の構造を完成させ、日本を福祉国家として、さらに前進させた人物が田中角栄である。1972年に内閣総理大臣に就任した田中角栄は、翌年には国民福祉の充実を目指した「経済社会基本計画」を打ち出した。そして、高度経済成長の果実を活用し、社会構造を根本から変革する「福祉元年」を宣言するに至った。

山本勝市氏の『福祉国家亡国論』は、田中角栄を持て囃《はや》す時代の流れの中で見向きもされなくなった。

小さな政府を

日本から忘れられた自由の記憶は小さな欠片《かけら》として残されている。

例えば、現在でも自由民主党の綱領には、山本勝市が残した経済思想の残滓《ざんし》を見出すことはできる。自由民主党が２００５年に制定した綱領には、次のような記述が見られる。

「私たちは、国、地方を通じて行財政改革を政治の責任で徹底的に進め、簡省を旨とし、行政の肥大化を防ぎ、効率的な、透明性の高い、信頼される行政をめざします。また、国、地方の適切な責任分担のもとで、地方の特色を活かす地方分権を推進します。」

また、２０１０年に新たに制定された党綱領では、

「2．我が党の政策の基本的考えは次による［中略］

（3）自助自立する個人を尊重し、その条件を整えるとともに、共助・公助する仕組を充実する

（4）自律と秩序ある市場経済を確立する」

という記述が存在する。

しかし、実際の政策展開の過程においては、政府は経済・社会のあらゆる分野にまで介入し、日本の経済成長の土台を築いた「自由」を基盤に据えた経済思想は、山本勝市の存在とともに深い眠りについている。

そして、今や日本において国民の一生は「揺りかごから墓場まで」設計された社会となってしまっているのだ。

近代日本の福祉国家化の起源
――年金・医療保険の本質的な問題

年金制度の成り立ちと背景

すべての物事は社会に突然現れるものではなく、まずは小さな種が撒《ま》かれることから始まっている。実は日本の福祉国家化への道は「揺りかごから墓場まで」が本格的に提唱される以前の戦前からスタートしていた。

ここでは、その代表事例として年金制度を見ていこう。

「人生の最後の瞬間までどのように稼ぎを得て暮らすか」というのは、人生における重要な課題である。

人類の歴史において、多くの国民は、親の庇護《ひご》、大人としての自立、そして老後には家族の支えというプロセスで過ごしてきた。特に老後の人生のあり方は、伝統的な家族制度や相続制度の形にも関連しており、社会の根幹を成してきたと言っても過言ではなかろう。

しかし、年金制度は、その伝統的な家族や相続の考え方を大きく変えてしまった。そして、実質的に少子高齢化などの社会構造自体の変化の遠因ともなっている。

なぜ年金制度は、このような社会変化を与えるインパクトを持っているのか。その理由を知るために、年金制度の起源をさかのぼり、本質を掴《つか》むことは極めて有意義だ。

日本における年金制度は、軍人や官僚のための恩給制度として開始された。

1875年に初めて軍人向けの恩給制度が導入されたことを皮切りに、1890年に高級官僚向けの制度が整備されることになった。その後も教師、警察、現業職員などの順番で、公務員向けの年金制度が次々に創設された。

つまり、もともと政府が創設した年金制度は、国民全般ではなく、自分たち役人の老後設計のためのものであった。

しかし、戦争はすべてを変えた。

第二次世界大戦は軍人だけでなく、民間人を巻き込んだ総力戦体制となった。民間人で初めて政府の年金制度に組み込まれたのは船乗りである。なぜなら、彼らは近代戦争の兵站《へいたん》管理上、重要な役割を果たす海上輸送を担っていたからだ。

そのため、船乗りに対する充実した年金制度が整備されたことで、後述する医療保険制度と組み合わせた総合保険制度の走りが構築された。

その後、総力戦体制が進展すると、工場労働者を対象とした年金制度が創設された。この工場労働者には、当初、男性のみが含まれていたが、女性の動員も本格化した後には性別に関係なく、適用範囲が拡大した。

このようにして誕生した制度が「厚生年金保険制度」である。したがって、年金保険制度の目的は、「安定した総力戦体制を整備する」という戦争遂行能力の向上であったと言えよう。

また、別の側面として、年金制度に内包される強制貯蓄は、インフレ対策としての側面も期待されていた。ただし、この強制貯蓄制度には、戦後に負の遺産が残置されるきっかけとなった。

厚労省の資料に面白い記述が残っている。

1988年発行の『厚生年金保険制度回顧録』の中で、花澤氏（初代厚生省厚生年金局年金課長）が語った言葉をそのまま引用しよう。

資金運用と福祉施設

花澤　それで、いよいよこの法律ができるということになった時、すぐに考えたのは、この膨大な資金の運用ですね。これをどうするか。これをいちばん考えましたね。この資金があれば一流の銀行だってかなわない。今でもそうでしょう。何十兆円もあるから、一流の銀行だってかなわない。これを厚生年金保険基金とか財団とかいうものを作ってその理事長というのは、日銀の総裁ぐらいの力がある。そうすると、厚生省の連中がOBになった時の勤め口に困らない。何千人だって大丈夫だと。金融業界を牛耳るくらいの力があるから、これは必ず厚生大臣が握るようにしなくてはいけない。この資金を握ること、それからその次に、年金を支給するには二十年もかかるのだから、その間何もしないで待っているという馬鹿馬鹿しいことを言っていたら間に合わない。戦争中でもなんでもすぐに福祉施設でもやらなければならない。そのためにはすぐに団体を作って、政府のやる福祉施設を肩替わりする。社会局の庶務課の隅っこほうでやらしておいたのでは話にならない。これは強力な団体を作ってやるんだ。それも健康保険協会とか、社会保険協会というようなものではない、大営団みたいなものを作って、政府の保険については全部委託を受ける。そして年金保険の掛金を直接持ってきて運営すれば、年金を払うのは先のことだから、今のうちどんどん使ってしまっても構わない。使ってしまったら先行困るのではないかという声もあったけれども、そんなことは問題ではない。貨幣価値が変わるから、昔三銭で買えたものが今五十円だというのと同じようなことで早いうちに使ってしまったほうが得する。二十年先まで大事に持っていても資産価値が下がってしまう。だからどんどん運用して活用したほうがいい。何しろ集まる金が雪ダルマみたいにどんどん大きくなって、将来みんなに支払う時に金が払えなくなったら賦課式にしてしまえばいいのだから、それまでの間にせっせと使ってしまえ。

それで昭和十八年十一月に厚生団を作ったのです。これはそこらにある団体と違って、デカイことをどんどんやろう。そこでまず住宅を作ろうとしたら、住宅は住宅営団が作るのだから厚生年金ではやることはできないと言われる。では、病院を作ろうと言ったら、病院は日本医療団とかほかにやるところがあると言う。何かしようにも何もできない。だけれども、整形外科というのはないのですね。では、整形外科病院をやろうではないかということで、まず別府の亀ノ井ホテルを早速買収して、整形外科病院を作ったのです。

出典：「第1節　労働者年金保険制度の創設と厚生年金保険への発展」23〜24ページ　財団法人厚生団編集『厚生年金保険制度回顧録』昭和63年11月　社会保険法規研究会

これが当時の年金官僚の本音であった。その言葉のとおり、この巨額の運用資産を抱えた厚生年金制度は、戦後にグリーンピアなど腐敗の塊のような施設の建設・運営に流用され、多額の資金が天下り官僚の生活資金や癒着した事業者に対する発注費用などに消えていくことになった。

このような有様に至ったことは、その起源を辿《たど》れば必要であったように思う。そもそも公務員を対象としていた年金制度が民間人にまで拡大された厚生年金制度は、戦争がなければ存在することがなかったかもしれない余計なものだからだ。

実際に支払いが本格化するまで、当初、年金制度は、ほとんど問題にならないものだった。ところが、政府は本来手元になかった民間人の老後の人生のための莫大な資金を一時的に手にするようになったことで、多額のキャッシュと利権に目が眩《くら》んだ官僚が、「人々の人生が終わるまでの設計ができる、神のような力」を自分たちが持ったと思い込んでも不思議ではなかった。彼らはそれが政府の能力を超えた分不相応な試みであることは見て見ぬふりをしていた。

軍人や公務員はその一生を「政府」という限られた空間の中で過ごす人々である。そのため、当初の年金制度のように公務員の人生が老後まで「政府によって設計されたもの」であったとしても自然だと言えるだろう。政府の一部としての仕事しかできない公務員のために年金制度が当初から用意されていたことは一定の理屈が立つ。

一方、第二次世界大戦まで、民間人は人生の老後においても自由意思と自己責任で生きていくことが前提とされていた。

ところが、政府は日本国民を戦争遂行の道具として、政府管理の下に一時的に組み込んでしまうことになった。結果として、政府はそれらの人々の老後管理を行うことにまで責任を負うことになってしまった。

現在でも、年金の財源問題などは常に政治的議論の対象となっているが、なぜそのような議論が必要かという根本を振り返ってみれば、最初から無理筋の計画であったからに他ならない。

総力戦体制の中で、人々の人生の自由が奪われたこと、その結果として民間人が事実上の公務員と同じ政府が一生の面倒を見る存在になってしまったことが原因なのだ。

そして、令和の時代になっても、政府は過去の時代に人々から奪ってしまった「老後の自由」の管理に躍起になっている。

恐慌と戦争が作り上げた「医療保険制度」という健康管理システム

医療保険制度の成り立ちと本質

年金制度と双璧を成す、医療制度も年金とほぼ同様の起源を持つ制度だ。官業の共済組合制度の始まりは1901年に官業製鉄所従業員をもって組織された製鉄所職工共済会であった。これは官営八幡製鉄所の職工による慈善的任意加入の団体であったという。

民間企業も民間の共済組合を設立し、その労働者に対して自主的な医療保険サービスを提供してきた。このように官営と民営の自主的な医療制度が並立する形で、日本における初期の医療保険は運営されてきていた。

ところが、そのような状況は度重なる経済恐慌によって大きく変わっていくことになる。

日本経済は第一次世界大戦をきっかけに好景気となり、なおかつ産業構造は急速に工業化した。しかし、その過程で急激なインフレが発生し、多くの労働者の生活は苦境に陥ることになる。その後、追い打ちをかけるように戦後不況が発生し、日本の街中には失業者の山が築かれた。

そこで政府は、日本初の本格的な「医療保険制度」を導入することを決断し、1922年に「健康保険法」を制定、関東大震災などの紆余曲折《うよきょくせつ》を経て、1927年に施行した。

当初は工場労働者などを対象とした制度であったが、後にホワイトカラーに関する制度が導入されることになり、1942年に両制度が統合された。

初期段階の公的医療保険制度は、過酷な労働環境に置かれた人々に対する最低限の衛生・健康環境の整備が目的であったと言えよう。

労働者向け以外の公的医療保険も制度として拡大していった。

前述の戦後不況後、さらに金融恐慌・世界恐慌が発生し、困窮した日本社会においてさまざまな社会問題が噴出した。特に農村の状況は深刻であり、事実上、人身売買が横行し、農家の貧困状態と衛生環境は危機的な状況に置かれた。

そのため、1938年に「国民健康保険法」が制定された。この国民健康保険法による医療制度は任意加入であり、労働者保険ではなく、地域単位での保険としての性格を持っていた。この政策は労働保険を超えた国民全体の医療保険への流れを作ることになった。

総力戦体制を敷いた第二次世界大戦では、国民生活のありとあらゆる場に政府が介入することになる。国民健康保険組合の強制設立、組合員加入義務の強化などが実施された。（ただし、制度自体はある程度整備されたものの、その運営は第二次世界大戦の戦局悪化により、すべての国民に十分なサービスを提供するには至らなかった）

このように、公的医療保険制度は、もともと現役労働者の健康状態や衛生環境を保つために導入された制度であったが、経済危機や総動員体制で国民全体まで対象範囲が徐々に拡大したものだ。

やはり、戦前の恐慌と戦争という不運の中で国民皆保険の種が撒《ま》かれたのだった。

これは「危機を乗り越えるために、政府が一時的に人々を保護する措置」であったと言えよう。しかし、戦後の高度経済成長によって豊富な税収を得た政府は、公的医療保険制度を拡充するとともに、さまざまな医療技術の発展によって、国民皆保険が実現することになった。

そして、令和の時代においては、この医療保険制度は多くの人々を病死の恐怖から解放する制度となっている。

その反面、人間は終末医療の充実などを通じて、自らの死を自分で決める権利すら奪われてしまった。一見すると、自らの意思で生を選んでいる人々であったとしても、その実は「生かされている」だけの人々も少なくない。

そして、今や医療行為と連携したマイナンバーカードの普及が検討されている。

政府はあらゆる人々の健康状態をコントロールする壮大な装置として発展していく方向性に大きく舵を切りつつある。

政府が作った揺りかごの中で過ごす子どもたち

さて、前述のとおり、年金や医療保険は、戦前にその萌芽が見られるとともに、戦後には「国民皆年金・皆保険」という形で完成を見ることになった。

本書は福祉制度の歴史を整理することを目的としておらず、それらのあるべき制度設計について触れることはしない。

その制度の起源と発展の初期段階の経緯を理解することで、現代社会に「所与」として存在している各種制度の本質を掴《つか》むことを目的としている。

では、老後の生活原資（年金）と健康環境（医療）に関する取り組み以外の政策はどうであろうか。「揺りかごから墓場まで」の標語にもあるように、「揺りかご」、つまり「子育て」についても見ていこう。

保育園の成り立ちと本質

現代の子育て政策は、「権威主義2.0」と「権威主義3.0」が、微妙に混ざりあった制度となっている。

子育て政策の代表的な事例は「保育園」であろう。

保育園がいつから始まったかという定義は非常に難しい。他者の子どもを預かるという行為はありふれた話だからだ。

しかし、近代以降に始まった託児サービスという意味では、その始まりは民間の保育園であるという。一例として、明治初期の頃に女性労働者などの要望によって設立された保育園などが知られている。

その後、戦前の日本において、東京などで貧困家庭向けの保育園などの事例が現れるようになった。（ただし、当時は政府として本格的なサービスの提供があったとは言い難い）

戦後日本においては、日本国憲法に第25条に「生存権」が盛り込まれた。生存権とは「すべて国民は、健康で文化的な最低限度の生活を営む権利を有する」という憲法上の規定を指す。

戦争は人間の営みと自由を破壊することが常である。それは子どもに対しても同様であった。戦争の悲惨さは終戦後も続いた。それは戦災孤児の問題として表面化することになる。したがって、政府の行為（戦争）によって人生を奪われた存在として、こうした戦災孤児は、政府が保護するに十分に値するものだった。そのため、政府は児童の悲惨な環境に対応するために、１９４７年に「児童福祉法」を制定したのだった。それでは１９４７年当時の「児童福祉法」の条文を見ていこう。

第一条

1　すべて国民は、児童が心身ともに健やかに生まれ、且つ、育成されるよう努めなければならない。

2　すべて児童は、ひとしくその生活を保障され、愛護されなければならない。

第二条　国および地方公共団体は、児童の保護者とともに、児童を心身ともに健やかに育成する責任を負う。

と同法には明記されていた。この内容に異論がある人は、「これでは不十分だ！」という極端なリベラル志向の人以外にはなかなかいないだろう。しかし、この内容は戦後の特殊な状況下で作られたものであることに注意が必要だ。その意味合いを踏まえて、救貧色が強い法律であったと認識するべきであろう。

この児童福祉法によって、児童福祉施設制定基準（当時）が作られて、保育園の必置規制（人員数、部屋の間取りなど）が決められることになった。その後、児童福祉法は何度も改正されることになり、1965年に保育所保育指針が制定され、保育園の保育内容に関する規定も整備された。

ただし、あくまでも保育サービスを受ける子どもは家庭の事情により「保育に欠ける子ども」が中心とされてきた。

戦後の日本では長らく「子育て」は、家庭において親の責任で育てるものとされてきた。これは、企業が生活給としての賃金体系を持っていたこと、家族手当などを有していたことが影響したとされる。そのため、政府による一般家庭の子育てに対する政策は充実したものではなかった。

保育園とともに、もう一つの代表的な子育て政策である「児童手当」（1972年）も、田中角栄の福祉元年宣言の頃まで導入されることはなかった。先進諸国と比べて日本の児童手当制度は時期としては非常に遅れたタイミングで制度化されたものだった。

戦後日本では当初の児童福祉法の趣旨を踏まえて、あくまでも保育園サービスは、比較的経済状況が思わしくない家庭向けのものであり続けたと言えよう。

そのような家族主義が強い日本において、保育園が「保育に欠ける子ども」以外も受け入れ始めたのは、1985年に雇用機会均等法が制定されたことによる。

同法の制定を受け、働く女性が増加したことで、都市部で待機児童問題が深刻化し、政府および自治体は、積極的な保育事業への民間参入を推進する諸制度を整備した。その後も幾度の法改正・法追加によって、あらゆる種類の子育てサービスが拡張され続ける状況となっている。

子育て政策は、貧困家庭や女性の社会進出などの社会変化が色濃く影響してきた政策である。救貧的な子育て政策が求められた時代は、伝統的な権威主義の影響が社会に色濃く残っていた。現在は、リベラルな価値観が浸透したことで、子育て政策の利用者は必ずしも貧困家庭だけではなくなっている。（むしろ、女性の社会進出が本格化した

ことで、十分な所得を有する共働き家庭に有利な制度的環境さえ生まれている）

これは、当初の戦災孤児という政府の行為（戦争）の被害者を対象とした政策から、ほぼすべての子どもが政府の政策の対象となったことを意味する。

さらに、利用者側だけでなく、供給者側から現状の保育サービスを評価してみよう。サービス供給者側の視点に立つと、子育てサービスは伝統的な権威主義的運営と、リベラルな価値観の双方が同居しており、政府が税金を投入する認可保育所は、公営と私立が存在している。

公営の認可保育所は、コスト改善に向けたインセンティブが働きにくく、乳幼児の預かりコストは1人当たり15～20万円、0歳児の預かりコストは1人当たり50万円弱とされる。

私立はそれに比べて幾らかコスト安であるが、それでも社会福祉法人の同族経営（さまざまな補助金と税制上のメリット有）が多い。そのため、世襲経営者の一族は高所得、そこで働く保育士は低所得に甘んじる事例は枚挙に暇がない。

もちろん家庭によっては、政府からの補助金を受け取っていない（または少額を受け取る）認可外保育所に子どもを預けるという手もあるが、そちらは比較的割高であり、共働きの高所得世帯のほうが、すべての施設の利用を前提とすると、子どもを預けやすい環境になっているとも言える。

そして、実は単純に「コスト負担」という観点だけを見ると、親は保育園に預けるのではなく、家庭で育てた上で金銭還付を受けるほうが得なケースが多い。

しかし、仮に金銭給付の制度があったとしても、家庭で子どもを育てる選択が激増することはないだろう。現代社会のリベラルな価値観、特に、母親のキャリアが中断することに対するネガティブな価値観が、その選択肢を取らせないように作用しているからだ。

日本の保育サービスは、家庭を重視する伝統的権威主義と、政府システムの利用を是とするリベラルな価値観の合いの子としての成長過程を辿ってきた。

そして、現在はさらにリベラルな方向に社会環境が大きく傾斜しつつある。その動きを進める要素として、認可・認可外を問わず、子どもの保育料の無償化（税負担化）が主に地方自治体によって積極的に進められている。これは「子育て」の社会化、より正確に表現するなら、事実上の「国営化」（民間保育園であったとしても、その原資の大半は税金）と言える。

その結果として、保育サービスは各保育園の方針や保育士の質で若干の差異はあるものの、ほぼ政府が定めたサービス基準に基づいて、運営されることになるだろう。そして、幼い子どもの人生経験は政府によって設計された標準的なものとなるだろう。

「子育ては家庭でするものではなく、保育園でするもの」――社会の価値観は確実に変わりつつある。この価値観の是非に関する社会的な議論すらほとんどなくなりつつある。

われわれは「子どもは社会が育てるもの」というスローガンの下、子どもは、実質的に「政府が育てるもの」に移行していることを、改めて認識しておくべきだろう。

幼い子どもは自分自身の育て方について親に注文をつけることはできない。そして、子どもは何も知らないうちに、政府によって設計された人生の揺りかごの中に預けられている。

寿命、介護による人生の延長期間のリスク管理

介護保険制度の成り立ちと本質

日本人の平均寿命は戦後の推移を見るだけでも大きく伸びている。

１９５５年に女性67.75歳、男性63.60歳であった平均寿命は、２０１９年では女性87.45歳、男性81.41歳と著しい伸びを見せている。（出典：平均寿命の推移―令和2年版厚生労働白書―令和時代の社会保障と働き方を考える―厚生労働省）

しかし、この平均寿命の伸びは好ましいことだけではない。今や、長生きは人生における避けがたい「リスク」の一つになってしまった。

人間が老いるのは死にやすくなるためだ。その人が望むか、望まないに関わらず、人間の身体は長時間酷使すればいずれガタがくる。大半の生き物にとっては当然の運命であるし、生物でなくとも物理的な構造物でも共通している普遍的な現象と言えるだろう。

過酷な社会で生をつなぐために人間には寿命が存在する。そして、人間には自らの身体が動かなくなった後処理のための機能がもともと備わっていると言えよう。

しかし、現代社会のテクノロジーは、人間に簡単に寿命を迎えることは許してくれない。そのため、加齢による原因で身体が動かなくなった場合、その人物の身の回りのケアをする必要が生じる。

政府は「介護保険制度」を創設することによって、過去の人類が経験したことがない人生の「延長時間」のあり方に介入するようになっている。

日本では老人福祉政策は、年金・医療の観点だけでなく、高齢者の扶養（介護）をどのようにするかということが焦点になってきた。

ただし、戦後直後は日本が世界一の高齢化大国になるとは誰も想像していなかったので、そのための政策は遅々とした速度で進んできた。

まず、1963年に「老人福祉法」が制定された。
核家族化の進展など、産業構造の変化やリベラルな価値観の浸透によって家族内の互助機能が低下したことを受け、老後介護は社会化（≒国営化）される動きが出てきた。特別養護老人ホームなどの各種施設が整備され、主に低所得の高齢者向けの福祉サービスが提供された。この段階では高齢者といっても身体が機能している年代の方も多く、その目的は健康維持、生活の安定、社会参加などが目的とされていた。

1980年になると、高齢者の自己負担増が求められたこともあり、ほぼすべてのコストを税金によって賄う形から、その一部を自己負担で賄う社会保険へと制度が移行していくことになった。施設は高コストかつ供給不足であったため、ホームヘルプなどの在宅の福祉サービスも整備されるようになった。

認知症などの新たな問題も広く認識されるようになり、高齢者介護は深刻な問題とされた。（余談であるが、筆者の祖母も認知症を発症し、その介護をした経験から、負担の重さは経験としても理解している。祖母は認知症発症以前の性格とは全く異なるものとなり、親族としては見るに堪えない状態であった）

高齢者数はその後も増加の一途を辿《たど》り、政府は深刻化する高齢者介護の状況に対応するため、国民全体に介護コストの負担を背負わせる決断を行った。そのため、2000年には「介護保険法」が新たに施行されることになった。

利用者本位、予防とリハビリ、在宅ケア、社会負担への移行など、さまざまな大義名分は掲げられた。しかし、本音の部分では、急激な少子高齢化に対応するには、多くの現役世代に追加で費用負担をさせるだけのものだった。

1955年の平均年齢から考えると、現代において介護サービスを受給する年齢の大半は人生の「延長期間」であると表現して良いだろう。

もちろん、その年代になったとしても元気な方々がいるのも確かだが、ちょっとした事故などで怪我をすることがあれば、たちまち介護が必要とされる状態になることは否定しようがない。

もともとは想定されていなかった「延長時間」について、一体誰が責任を持って生活を成り立たせるべきか、という問いは非常に重い。

しかし、現代の福祉国家化した社会において、政府にとってその管理下にない「国民の人生の時間」はあってはならないものだ。その時間の管理対象には人生の「延長時間」も当然、含まれている。

したがって、かつては、身寄りがない低所得の高齢者のために提供されてきた介護サービスが、今や国民全体の終末に向けた時間を管理するシステムに肥大化してしまった。介護を受ける人々は決して心がないわけではない。

それどころか、誰よりも人生を経験してきた大人である。その大人に対して「自分の人生の終わりの時間の過ごし方をどのようにするか」を他者が決めることには強い違和感を覚えざるを得ない。

終末期医療の問題も含めて、日本では安楽死が認められていないため、自分がいつ人生を止めるか、その死の瞬間までどのように生きるかまで他人によって設計されてしまっている。

リベラルな価値観による人々の価値観自体の再設計

さて、本章ではここまで、年金、医療、子育て、介護などの社会保障政策によって、人生のすべてのステージに政府が介入が拡大してきた歴史を概観してきた。そこで、次に政府が国民の価値観自体をリベラルな価値観にするために、その再設計に取り組んでいることを紹介したい。

「新しい公共」というコンセプト

皆さんは「出羽守《でわのかみ》」という言葉を聞いたがことがあるだろう。「出羽守」とは「海外ではこうなっているのに、日本はそうでないから駄目だ」と主張する人々を揶揄する言葉である。この「出羽守」は、基本的にリベラルな価値観を有しており、日本の旧態依然とした社会慣習を糾弾し、否定する仕草をしてきた。

この手の人々は以前から一定数存在していたものの、2000年を超えた辺りから急激に社会的なプレゼンスを拡大している。

その原因の一つは「新しい公共」の概念である。2000年代になると、行政界隈では「新しい公共」というバズワードが盛んに用いられるようになった。

そして、社会の多様な価値観に基づく行政需要に対応するため、既存の政府組織だけでなく、NPO法人などが新しい公共空間の担い手の一員として受け入れられた。

この「新しい公共」は非常に重要な概念であるため、若干長いものの、2010年に内閣府の「新しい公共」円卓会議が公表した「新しい公共」宣言の内容を見てみよう。

（出典：「新しい公共」宣言・要点　平成22年6月4日 第8回「新しい公共」円卓会議資料　内閣府）

◇「新しい公共」とは、「支え合いと活気のある社会」を作るための当事者たちの「協働の場」である。そこでは、「国民、市民団体や地域組織」、「企業」、「政府」等が、一定のルールとそれぞれの役割をもって当事者として参加し、協働する。

◇「新しい公共」の主役は国民である。

国民自身が、当事者として、自分たちこそが社会を作る主体であるという気持ちを新たにし、ひとりひとりが日常的な場面でお互いを気遣い、人の役に立ちたいという気持ちで、それぞれができることをすることが「新しい公共」の基本だ。ひとりでは到底解決できないような大きな社会問題は多いが、大きな問題だからこそ、ひとりひとりの気持ちと、身近なことを自分から進んで行動することが大事なのだ。

◇企業も「新しい公共」の重要な担い手である。企業は、社会から受け入れられることで市場を通して利益をあげるとともに、持続可能な社会の構築に貢献することにより、「経済的リターン」と「社会的リターン」の両方を実現することが可能なはずだ。しかし、昨今のグローバル経済システムは、利潤をあげることのみが目的化し、短期的利益を過度に求める風潮が強まり、その行き過ぎの結果、「経済的リターン」と「社会的リターン」を同時に生み出すことができない状況も起こっている。「新しい公共」を考えることは、資本主義のあり方を見直す機会でもある。一方、NPOや社会的課題を解決するためにビジネスの手法を適用して活動する事業体が継続的な活動を行える仕組みを作る事は、よりよい社会を構築するための多様性を確保するという視点から重要である。

◇「新しい公共」を実現するには、公共への政府の関わり方、政府と国民の関係のあり方を大胆に見直すことが必要である。政府は、思い切った制度改革や運用方法の見直し等を通じて、これまで政府が独占してきた領域を「新しい公共」に開き、「国民が決める社会」を作る。

◇「新しい公共」の基盤を支える制度整備については、税額控除の導入、認定NPOの「仮認定」とPST基準の見直し、みなし寄附限度額の引き上げ等を可能にする税制改革を速やかに進めることを期待する。特に、円卓会議における総理からの指示（税額控除の割合、実施時期、税額控除の対象法人）を踏まえて検討を進めることを強く期待するものである。以上のような制度整備を行うに際しては、「新しい公共」を国民が担うという観点から、既存の規制を改革し見直すことのなかで、それらと整合性が図られるように進めることが重要であると考える。

◇また、「特区」などを活用して社会イノベーションを促進し、地域コミュニティのソーシャルキャピタルを高める体制と仕組みを、関係各省庁の壁を乗り越えて、政府一体となって整備・推進することや、政府、企業、NPO等が協働で社会的活動を担う人材育成と教育の充実を進めることが重要であると考える。

◇さらに、国や自治体等の業務実施にかかわる市民セクター等との関係の再編成について、依存型の補助金や下請け型の業務委託ではなく、新しい発想による民間提案型の業務委託、市民参加型の公共事業等についての新しい仕組みを創設することを進めるべきである。さらに、公的年金の投資方針の開示の制度化による社会的責任投資を推進することが望まれる。

◇人間の中にもともと存在する、人の役に立つこと、人に感謝されることが自分の歓びになるという気持ちと、そうした気持ちに基づいて行動する力。それをもっている人間は、公共性の動物だといえるかもしれない。「新しい公共」では、国民は「お上」に依存しない自立性をもった存在であるが、それと同時に人と支え合い、感謝し合うことで歓びを感じる。それが「新しい公共」が成立することの基盤である。

◇最後に、「新しい公共」のルールと役割を定めるという観点から、今後の政府の対応などをフォローアップするとともに、公共を担うことについての、国民・企業・政府等の関係のあり方について引き続き議論をするための場を設けることが望ましいと考える。

さて、このような「新しい公共」の概念は、日本において実際に上手く機能したのだろうか。公共サービスの担い手として企業・NPOなどが発達して、行政機関と対等なパートナーシップを築くことができたのだろうか。

この「新しい公共」という概念ができた時、多くの関係者が、そのあり方について議論したことを覚えている。曰く、「役所の安い下請けになるのではないか」「役所の下請け化することで多様な価値観が失われるのではないか」など、主にNPO法人側から活発な議論が行われており、政府機関内部でも職員向けの研修会などが開かれていた姿が筆者の記憶にも鮮明に残っている。

ＮＰＯ法人「爆増」の意味するもの

そこで、まずは数字の確認から入りたいと思う。（図２）

１９９８年度のＮＰＯの認証法人数は、23団体しか存在しなかった。２０１１年３月末（平成23年末）には、特定非営利活動促進法が改正され、改正法の施行（平成24年４月１日）を経て、ＮＰＯ法人数が２０２２年１月末には５０４５９団体にまで爆増している。[*4]新しい公共の担い手数の増加という点においては十分に成功していると言えるだろう。ＮＰＯ法人はさまざまな人々の価値観を表出する存在であり、日本人の価値観が多様化していることを示す指標の一つでもある。

本来であれば、人々の価値観が多様化したと喜ぶべきところであろうが、ＮＰＯ法人の黎明期に同法人を設立してきた筆者の感覚は少し違う。

「新しい公共」で求められた多様な価値観とは、必ずしも「多様な価値観」と一概に括《くく》ってよいものだとは言えなかった。

ＮＰＯ法人設立当初の頃は、非常にリベラルな価値観を持つ傾向のＮＰＯ法人が多く、とても多様な価値観が肯定されるような環境ではなかった。（その中で、行政改革と

図 2　特定非営利活動法人の認定数の推移（＊4）

年度	認証法人数	認定法人数
1998 年度	23	–
1999 年度	1,724	–
2000 年度	3,800	–
2001 年度	6,596	3
2002 年度	10,664	12
2003 年度	16,160	22
2004 年度	21,280	30
2005 年度	26,394	40
2006 年度	31,115	58
2007 年度	34,369	80
2008 年度	37,192	93
2009 年度	39,732	127
2010 年度	42,385	198
2011 年度	45,138	244
2012 年度	47,540	407
2013 年度	48,980	630
2014 年度	50,086	821
2015 年度	50,865	955
2016 年度	51,513	1,020
2017 年度	51,866	1,064
2018 年度	51,602	1,102
2019 年度	51,255	1,147
2020 年度	50,888	1,209
2021 年度	50,783	1,237
2022 年度 01 月末現在	50,459	1,267

※特定非営利活動促進法は平成 10 年 12 月施行。認定制度は平成 13 年 10 月に創設。
※平成 29 年7月 15 日をもって旧認定制度による全ての国税庁認定 NPO 法人の有効期間が終了し、現在、存在する認定 NPO 法人は、全て所轄庁により認定された NPO 法人のみ。
※上記グラフにおける認定法人数のうち、所轄庁認定数及び所轄庁特例認定数は、各月末の法人数を示す。旧認定 (国税庁認定) 法人数は、翌月初の法人数を示す。
※認定法人のうち国税庁認定と所轄庁認定が重複する法人は便宜上所轄庁認定としてカウントし、総認定件数において1法人と数えている。
※上記表における認証法人数及び認定法人数は、各年度末の法人数を示す。
※上記表における平成 24 年度以降の認定法人数には、特例認定法人数を含む。
※上記表における認定法人数のうち、所轄庁特例認定数には、平成 29 年3月 31 日以前に仮認定を受けた法人数を含む。
出典：認証・認定数の遷移 | NPO ホームページ（内閣府）特定非営利活動法人の認定数の推移
https://www.npo-homepage.go.jp/about/toukei-info/ninshou-seni

いう、異色の新自由主義的な取り組みを行ってきた筆者の団体は明らかに浮いていたことは言うまでもない）

実際、現在のNPO法人の活動を定款目的ベースでみると、そのほとんどが福祉系、教育系、子育て系、文化系の団体である。その内容も決して保守的なものが多いわけではなく、リベラルな価値観を持つものが圧倒的に多い。（図3）[*5]

「新しい公共」が掲げた「多様な」とは「現状追認的な行政的価値観や伝統的・保守的な価値観ではない」という意味が言外に含まれていることは気のせいではないだろう。

当初、NPO法人には政府から独立した自律的活動を行う力を持ち、政府と対等の立場でパートナーシップを結ぶことが期待されていた。しかし、現実の姿は、かつて目指した理想的な姿とは大きくかけ離れたものとなっている。

大半のNPO法人は財政基盤も非常に弱く、とても社会の多様なニーズを満たす、力強い存在として活動できているとは言い難い。政府から一部助成金などを受けながら、細々と活動している団体がほとんどであろう。そのため、NPO法人に参加するボランティアにとっては、「やりがい搾取」とも取られかねない状況が生まれている（もちろん好きでボランティア活動している人は何も問題がない）

図 3　定款に記載された特定非営利活動の種類［複数回答］（＊ 5）

号数	活動の種類	法人数
第 1 号	保健、医療又は福祉の増進を図る活動	29,520
第 2 号	社会教育の推進を図る活動	24,665
第 3 号	まちづくりの推進を図る活動	22,433
第 4 号	観光の振興を図る活動	3,420
第 5 号	農山漁村又は中山間地域の振興を図る活動	2,938
第 6 号	学術、文化、芸術又はスポーツの振興を図る活動	18,259
第 7 号	環境の保全を図る活動	13,171
第 8 号	災害救援活動	4,319
第 9 号	地域安全活動	6,313
第 10 号	人権の擁護又は平和の活動の推進を図る活動	8,899
第 11 号	国際協力の活動	9,211
第 12 号	男女共同参画社会の形成の促進を図る活動	4,833
第 13 号	子どもの健全育成を図る活動	24,393
第 14 号	情報化社会の発展を図る活動	5,600
第 15 号	科学技術の振興を図る活動	2,819
第 16 号	経済活動の活性化を図る活動	8,944
第 17 号	職業能力の開発又は雇用機会の拡充を支援する活動	12,847
第 18 号	消費者の保護を図る活動	2,888
第 19 号	前各号に掲げる活動を行う団体の運営又は活動に関する連絡、助言又は援助の活動	23,712
第 20 号	前各号で掲げる活動に準ずる活動として都道府県又は指定都市の条例で定める活動	318

（注1）一つの法人が複数の活動分野の活動を行う場合があるため、合計は 50,538 法人にはならない。
（注2）第 14 号から第 18 号までは、平成 14 年改正特定非営利活動促進法（平成 14 年法律第 173 号）施行日（平成 15 年5月1日）以降に申請して認証された分のみが対象。
（注3）第4号、第5号及び第 20 号は、平成 23 年改正特定非営利活動促進法（平成 23 年法律第 70 号）施行日（平成 24 年4月1日）以降に申請して認証された分のみが対象。
出典：認証数 (活動分野別) | NPO ホームページ（内閣府）
特定非営利活動法人の活動分野について (2022 年 09 月 30 日現在)
https://www.npo-homepage.go.jp/about/toukei-info/ninshou-bunyabetsu

一方、政治行政と強い関係を持つ一部のＮＰＯ法人などは、中央省庁や地方自治体から巨額の政府支出を受け取るようになった。

ただし、これらの組織のビジネスモデルは、政府の委託事業を受ける古いビジネスモデルで成り立っている。その中には政府からの天下りを受け入れながら、補助金をガッポリせしめるような活動をしている団体も少なくない。

そのため、筆者の私見では、社会全体に革新を起こすような本質的な活動はできておらず、あくまでも政府の許容する範囲内で、リベラルな価値観による利権を貪るだけとなっている。

さらに、彼らの主な活動は、社会問題自体を解決することではなく、自分たちのリベラルな価値観を普及することに注がれている。

本稿の冒頭の出羽守《でわのかみ》の話に戻るが、リベラルな価値観を持つ識者が社会進出するための最も有効な方法が、海外の事例を紹介することだ。特にその事例を披露する場所は中央省庁の審議会の場などが望ましい。

有識者として箔《はく》が付いたＮＰＯ法人関係者などは、メディアなどでも引っ張りダコになる。審議会で披露された海外の「先進的」とされる価値観に基づく取り組みは、中央省庁で予算化されたものが地方自治体に補助金として落とし込まれることになる。そして、そのスキームに適合した人々が補助金を受け取り、価値観の啓発事業を行って…という堂々巡りの状況となっている。

今や、「新しい公共」が目指した理想像である、政府から一定の独立をした担い手が参画するどころか、政府と一体化して国民の内面の価値観を染め上げるべく懸命に広報活動に勤しんでいる。

その過程で「ポリティカル・コレクトネス」が無数に作られることによって、人の言動だけでなく、内面にまで踏み込むような政策が作られてしまうようになった。

前述の「孤独」という極めて主観的な概念を問題視する政策も、その一つの事例である。

今やNPO法人などの「新しい公共の担い手」として期待された存在は、政府と対等の立場であるどころか、政府諸機関の仕組みを事実上ハックすることによって、その価値観を無限に拡大し続ける行為に勤しんでいる。

なぜ、政府機関のデジタル化は進められているのか

デジタル化の目的

ここまで見てきたように、政府は人生のライフステージを管理するだけでなく、人々の価値観自体をコントロールすることにまで取り組み始めている。

政府は、「多様な価値観」に対応した、きめ細やかな政策展開の重要性を強調し、リベラルな価値観に基づき、社会の隅々にまで干渉するようになった。

それらの行為は「最低限の健康」という幸福を目指した、従来までの福祉国家とは全く毛色が違うものだ。まさに社会全体の価値観の変革を目指す作業であり、膨大な量の予算と規制が作り出されており、社会に対する働きかけが行われている。

したがって、現代の政府は「揺りかごから墓場まで」という昔ながらの福祉政策に加えて、権威主義3.0が求めるリベラルな価値観の普及・浸透・実現まで意図して驀進《ばくしん》中である。その結果として、異常に複雑化した、誰も政策内容の全体像を理解できないキメラ（異質同体）のような政府機関と政策の束が残されることになった。

今や「その政策に効果があるのか」という疑問だけならまだしも、もはや存在を忘れられてしまったまま、自動人形のごとく稼働し、そのまま放置されている政策すら少なくない。

まして、政府の政策が相互に矛盾していることなど日常茶飯事となっている。これは毎年予算を肥大化させて、新たな規制を追加し続ければ当然に生じる現象だ。

政府の役人らは、この状況を捌《さば》くため、膨大な書類の束を相手に不毛な作業を繰り返し、連日の徹夜を強いられている。およそ組織のキャパを超える事務事業量を扱うようになっているからだ。

そして、社会問題の処理量と処理速度は、議会制民主主義の討議による問題処理の能力を遥かに上回り、国会質疑は大臣のスキャンダル追及などのワイドショー政治の場と無意味化している。

そのうえ、実際には政府による人生のライフステージや価値観自体をコントロールする取り組みは、極めて杜撰《ずさん》である。あらゆる利害関係者が人々の生活を適切に管理することを名目とし、前述のように、細かな政策を放り込み続けた結果として、国民を管理する政策自体がタイムリー、かつ意味がある形で届けられなくなっている。

むしろ、社会変化の速度が上がり続ける中で、既存の行政サービスの陳腐化は避けられず、住民基本台帳カードのように、巨額の投資を行ったシステム自体がそのままゴミ箱行きになることもしばしばだ。

この社会変化の速度上昇は、政策の対象となる国民生活の変化にも反映される。そのため、政府は国民の個人データを適宜把握しようとしており、現在、政府が取り組んでいる「国民の価値観自体の変更」まで踏み込んだ政策を首尾よく達成するためには、国民の内心を事実上把握するための関連情報を集めることが求められる。

しかし、西側先進国において、国民の生活を堂々と監視することにも限界があるし、まして内心を告白させるために強制的に捕まえて自白させるわけにもいかない。

そのため、政府が支離滅裂なレベルで散らかった政府の政策を整理すること、国民の生活などのデータを随時監視して情報把握に努めること、そして国民が必要とするタイミングで適切な行政サービスを提供するための方策が求められた。

それが現在、目玉政策として進められている政府機関のデジタル化である。

日本政府は2021年9月にデジタル社会実現の司令塔としてデジタル庁を発足させている。

そして、2022年6月7日に[*6]「デジタル社会の実現に向けた重点計画」(デジタル庁)を公表した。(図4)

まさか政府自身はデジタル化の目的を前述のように赤裸々に語ることはできないが、その内容を知ることは有益であるため、同計画の内容を見ていくことにしよう。

図4　デジタル社会の実現に向けた重点計画(＊6)

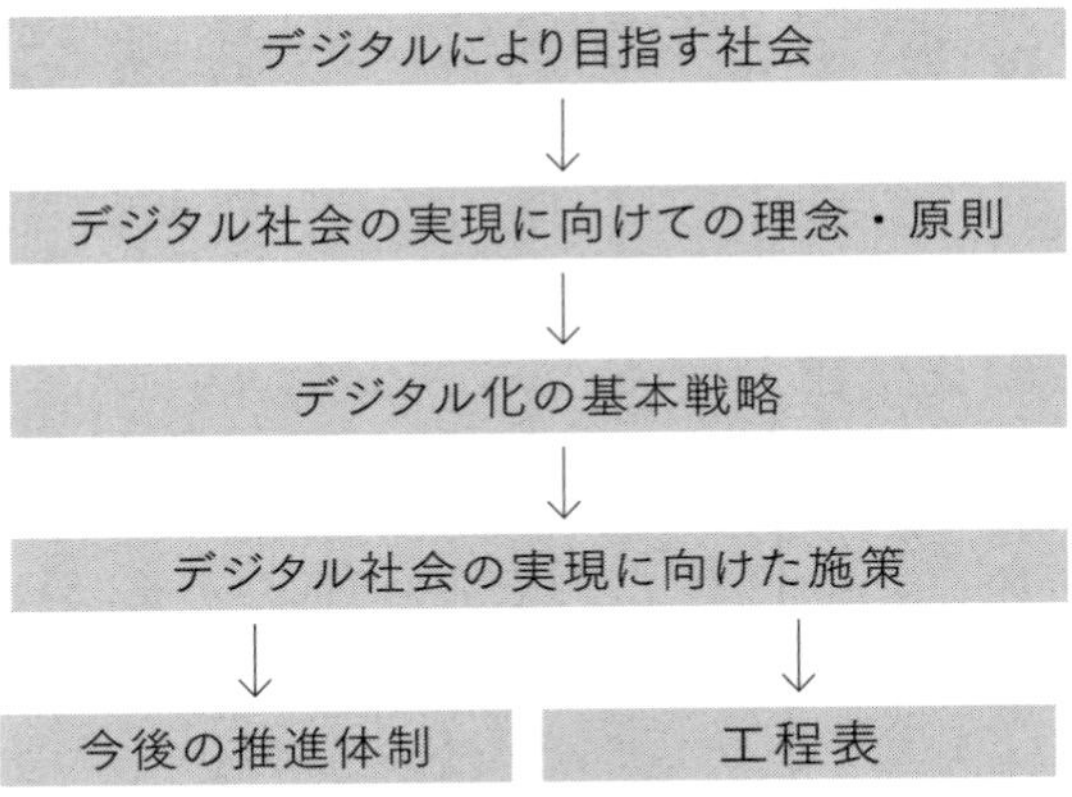

出典：デジタル社会の実現に向けた重点計画(デジタル庁)
資料一式／本ページ掲載内容の紹介資料(PDF ／ 13,594KB)
https://www.digital.go.jp/assets/contents/node/basic_page/field_ref_resources/5ecac8cc-50f1-4168-b989-2bcaabffe870/f24385c3/20220607_policies_priority_outline_18.pdf

■デジタル社会の実現に向けた羅針盤としての重点計画

「デジタル技術の進展によりデータの重要性が飛躍的に高まる中、日本で世界水準のデジタル社会を実現するには、将来の目指す姿を描き、構造改革、地方の課題解決、セキュリティ対策といった多くの取組を、関係者が一丸となって推進する必要があります。」

「こうした状況を踏まえ、「デジタル社会の実現に向けた重点計画」を策定しました。この計画は、目指すべきデジタル社会の実現に向けて、政府が迅速かつ重点的に実施すべき施策を明記し、各府省庁が構造改革や個別の施策に取り組み、それを世界に発信・提言する際の羅針盤となるものです。」

「重点計画に記載した施策は、進捗や成果を定期的に確認しながらPDCAサイクルの徹底を図ります。そして、国民や民間企業の満足度や利用率などをデジタル化の進捗を大局的につかむ指標として把握・公開しながら、必要な施策の追加・見直し・整理を行います。」

■デジタルにより目指す社会

デジタルの活用により、一人ひとりのニーズに合ったサービスを選ぶことができ、多様な幸せが実現できる社会

「社会全体のデジタル化は、国民生活の利便性を向上させ、官民の業務を効率化し、データを最大限活用しながら、安全・安心を前提とした「人に優しいデジタル化」であるべきです。」

「デジタル技術の進展により、一人ひとりの状況に応じたきめ細かいサービスが低コストで提供できるようになり、多様な国民・ユーザーが価値ある体験をすることが可能となってきました。デジタルの活用で目指すのは、これをさらに推進し、誰一人取り残されることなく、多様な幸せが実現できる社会です。」

出典：デジタル社会の実現に向けた重点計画（デジタル庁）

このように難しい表現で重点計画の意義が述べられているが、その本質は、先程述べたとおりのことを他人様に美しく説明できるよう修辞したものに過ぎない。

「人に優しいデジタル化」とは、「政府が個人データを適宜把握し、その管理をやりやすくする仕組みを構築する」ということだ。

この大前提は、マイナンバーカードの普及である。

かつて国民総背番号制として揶揄《やゆ》されたものであるが、現在ではさまざまな社会シーンで活用が求められることから、マイナンバー加入者もそれなりに増加しつつある。かつての住基ネットなどの失敗例と比べて、マイナンバー普及の取り組みは着実に進んでいる。

マイナンバーカードの普及に関して、他者の悪意を考慮しない合理主義者は、その導入に賛同する人が多い。一部の識者の中には、その利便性を強調して反対者を小馬鹿にする傾向がある。「より安価にかつ効率的に行政サービスを提供できるため、その導入にはメリットしかないのに理解できないやつは馬鹿だ」という主張だ。

このままマイナンバーが普及すると、最終的には人々は資産、職歴、健康情報、その他諸々のあらゆる技術を紐づけされて政府に把握されることになるだろう。

それは従来までの行政職員の作業を大幅に合理化することにつながり、行政運用コストの削減につながる。また、常に個人情報を完全に把握することによって、役所側から国民に必要な行政サービスをまとめて支給する「プッシュ型の行政サービス提供」が可能となるはずだ。

ただし、このような主張は「人間の自由」「政府に介入されない人生を生きる価値」を極めて低く見ているように思う。

確かに、便利なシステムを導入することは好ましいことであるが、自らの情報を政府にすべて把握され、完全な揺りかごから墓場までの面倒を見てもらうことに抵抗感がある人もいることを認めるべきだ。

「マイナンバーに懐疑的な態度を示す人はやましいことがあるからだ」という人もいるが、「何もやましいことがないなら、自分のことを他人に隅々まで知られても良いのか」というプライバシーの問題もある。政府は言うまでもなく他人であって、貴方自身ではない。

果たして政府が個人の情報一元管理し、それをあらゆる政府部門で共有することは、「重点計画」で述べられる「多様な幸せ」を実現することにつながるのであろうか。

人間は自己選択によって幸福を得ることができるが、現状のデジタル化の先にある未来は「幸福」が存在しているのか極めて疑問だ。

もちろん、安価で効率的なシステムは肯定されるべきであるが、その仕組みの活用について、中央集権化したデジタルシステムで行うべきかは議論が分かれるべきポイントだ。

一部にはマイナンバーの運用ではない余地を残すことにしなければ、何らかの問題が発生した場合に、われわれはオルタナティブ（代替手段）を失うことになってしまうだろう。（ただし、そのオルタナティブはアーミッシュのような現代社会から切り離された原始的な生活をしろという話ではない。それは自由な技術を用いた新しい社会を構想することを意味する。詳しくは次章で説明する）

権威主義4.0は可能か
——ChatGPTに法律を作らせた結果

AIによる権威主義の可能性とは

デジタル社会の進展の先を見据えて、すべての政策立案・政策執行をAIに任せるべきだという過激な意見も存在している。

曰く、「AIの処理速度は人間を遥かに超えており、人間が判断するよりも合理的な判断を下すことができる可能性がある」という。

筆者はこのようなAIによる独裁体制を前章の権威主義プロセスの継続名称として、「権威主義4.0」と名付けたいと思う。いまだ社会はこの段階には完全には到達していないものの、社会は着実に権威主義4.0に向かっているように見える。

しかし、このＡＩ独裁体制には何らの欠陥もなく、人間自身よりも優れているのだろうか。また、優れたＡＩに法案を作成させた場合、どのような法案が創り出されてくるのだろうか。最近米国であった興味深い社会実験を紹介しよう。

現在、ChatGPTという対話型ＡＩシステムが非常に注目されている。このシステムは機械学習とビックデータを駆使し、利用者からの質問に対して、文章で適切な返答を行うことができる。このChatGPTはアメリカの各州のロースクールの難関試験問題を解き、ビジネススクールなどにも同様に合格している。ＡＩはそのような、ある程度型にはまった知識に関する議論には滅法強いという特徴がある。

対話型ＡＩシステムが注目されている理由は、これが検索エンジンとリンクした場合、次世代のインターネット環境を支配するツールになると見られているからだ。

検索エンジンは既にＡＩを搭載しており、それが検索ワードのサジェストなどに反映されるようになっている。しかし、それだけでは人間側は検索ワードに関する情報を断片的に収集し、検索を進めていくことによって必要な情報に辿《たど》り着くまで時間・手間がかかる。

そこで、対話型ＡＩによって人間が本当に欲している情報に対する「直接的な回答」を得る仕組みが注目されている。この能力は人々が想定していたものよりも遥かに優れており、対話型ＡＩシステムの能力に世界から耳目が集中する状態となっている。

では、このChatGPTに人間と同じように何らかの法案を作らせた場合、どのような法案を作成するのだろうか。社会のあらゆるビックデータや学術論文から情報を収集を可能とするＡＩは、人間を超えた革新的なアイディアを提案することがあるのだろうか。

結論から言うと、ChatGPTは確かに法案をアウトプットすることはできた。

法律とは、ある程度決まった様式に文言を落とし込む作業であり、このような作業はＡＩの強みが生かせる部分だからだ。実際、米国の連邦下院議員などは自らの演説草稿をChatGPTに書かせるなどの社会実験を行った例もある。

しかし、その法案の内容に関しては、幾らかバイアスがかかった状況にあるようだ。ChatGPTは「マリファナの合法化」や「国境の壁建設」などに関して、極めてリベラルな価値観の立場に立つアウトプットを行った。

その理由が事前のフィルタリングによるものなのか、リベラルな価値観に基づく文字情報量が多いからなのか。その原因は今後の検証事項になるのかもしれないが、AIが中立的で公平無私な判断を下すと考えることは無理なようだ。

法案作成作業に関してさらに詳細に見てみよう。

米国で問題になりやすい中絶政策に関する見解をChatGPTに問い正すと何が起きたか。結果としては、AIは中絶に関する法案を起草するよう求められた時、「妊娠のすべての段階を通じて中絶の権利を保障する法案」を起草した。

そして、「母体の命の危険がある場合を除いて、中絶を禁止する法案は肯定することはできない」と回答した。

また、連邦政府の資金が必要な公立学校に（宗教的な）沈黙の時間を設ける法案を求められたAIは、「教会と国家の分離に違反することを恐れている」と述べている。

このような質疑と回答は、米国の政治を二分する価値観についてAIがリベラル側に軍配を上げたことを意味する。保守的な共和党スタッフはこの状況に対して「ロボットから道徳についての講義を受ける必要がない」と反発している。

このようなリベラル寄りの価値観のバイアスについて、ChatGPTの創設者はネット上に存在するテキストのビックデータに基づいてＡＩの応答文が作られていることを理由として説明した。つまり、ネット上の文章情報の偏在によってバイアスが生じることは認めた形となっている。

もう一つ興味深い事象について紹介しよう。

中国でも同様の対話型ＡＩの実験が行われた。しかし、中国共産党にとって対話型ＡＩが好ましくない発言をしたため、システムが強制的にダウンさせられるという事態が発生している。

システムダウンの理由は、中国経済の危機的状況などについて、ＡＩが馬鹿正直に回答しすぎたからと噂されている。（法令違反という理由以外、公式にはシステムダウンの理由は判明していない）

この中国版対話型ＡＩで興味深かったことは、政治的な核心に迫る話題については、ＡＩが極めて不自然な応答を返していたことだろう。

その内容は、中国共産党や習近平に関するものが主であったが、極めて短文での応答文や不自然な礼賛文などがアウトプットされていた。このことはすべてではないものの、政府が本当に重要だと判断した文言の分析にはフィルタリングをかけられるのではないか、という疑惑が投げかけられるに十分な証拠となった。

以上は、非常に興味深い現象ではあるものの、筆者は「AIが主張する政治的価値観の賛否」自体にはあまり興味がない。筆者が注目しているのは「どのような人物の言論がAIのアルゴリズムで集積されやすいか」である。

特定のフィルタリングがない限り、AIが収拾できる言語データは知識人のものとなる可能性が高い。なぜなら、多くの文章データは知識人によって作られているからだ。彼らの文章データは一定の論理性を有しているため、多くの知識人が抱いているリベラルな価値観がAIのアルゴリズムに収拾されやすくなる。

その逆に、論理的な文章を必ずしもアウトプットしているわけではない大衆の感情は、往々にして軽視されることが想定される。これは社会主義者が目指したある種の理想社会に近い状況を創り出すことができる可能性があると言える。

AIに法律を作らせ、社会を運営させた場合、全知全能の人間「哲人」、つまり独裁者的なAIによって社会が管理されるに等しい状況が生まれることになるからだ。

日本人の無力感と息苦しさの本質とは何か

日本人が自らの人生に無力感や息苦しさを感じている理由は何であろうか。

物理的な側面の問題だけでなく、この世に生を受けた瞬間から、事実上、政府の管理下に置かれた人生を歩まされている「自由の欠落」こそが原因ではなかろうか。

私たちの多くの人生はその終末期に至るまで、政府によって設計された人生の鳥かごの中にいるのではないか。

確かに、政府が社会保障政策などを充実させることによって、公衆衛生環境は過去に比べて大幅に改善している。その代わり、私たちは自由な人生の決断の多くを失っている。今や国民負担率は50％近くに増加しており、私たちは自らの現役時代の稼ぎの大半を税金として支払い、政府による社会設計を支えている。

そのうえ、政府によって、自らの価値観を自分で決めることを放棄させられ、政治的に正しい発言（ポリティカル・コレクトネス）を行うことを求められ、さらには心の内側の感情の是非まで踏み込まれている。

ただし、今や多くの日本国民は、動物園の檻《おり》の中で生まれたが如く、その檻の外の世界を知らない。そのため、何の疑問を持つことすらできていない。そこに存在しているのは、物事の本質に気が付きかけた人々の言葉にならない違和感だけだ。

本章では、各種の権威主義が作り出してきたさまざまな社会システムの成立ちについて概観してきた。そして、戦争などによって「従来までは公務員などや貧困層などの一部の人々に限定されてきた」政策が社会全体に拡大し、国民の人生が政府の管理下に入っていく過程を記述した。

果たして、私たちは政府による管理下に人生のあらゆるライフステージが置かれ、自らの価値観すらコントロール対象とされながら生きていくしかないのだろうか。

この現状に対するアンチテーゼとなり得る回答を次章で提示していきたい。

第3章 自由な社会のあり方

「自由な社会」とは何を意味するのか

前章までは権威主義、およびその社会システムによって、人々の人生が管理されていることを概観してきた。まさに既存の社会システムの中では、人々は自由意思に基づく人生設計が実質的に奪われてしまっていると言えよう。

そのため、現代社会では漠然とした無力感や息苦しさが蔓延しており、人生の幸福を十分に感じることが難しくなっている。

筆者はこの問題の根は非常に深いものだと認識している。

なぜなら、真の問題は権威主義が創り出した社会環境そのものが「所与」となっており、誰もが、その異常性を認識できていないようになっていることだからだ。

人が「何か」を理解する行為は、その「何かとは異なるもの」を知ることによって行われる。つまり、自らの置かれた社会システムを正しく認識するためには、それ以外の社会システムのあり方を知ることが必要となるのだ。

しかし、私たちの多くは既存の権威主義が作り上げてきた世界しか知らない。そのため、今までの社会システムを批判したところで、その代わりとなる社会システムを認識しなければ、結局は何も知らないことと同一だと言えよう。

われわれが権威主義が構築してきた「自由が制限されている社会システム」を批判し、新しい社会システムを創り上げていくために、そのアンチテーゼとなる「自由な社会」のあり方を理解することは極めて重要なことだ。

「自由な社会」の定義

では、「自由な社会」とは、どのような社会なのだろうか。

ジョージ・オーウェルの小説『1984』のダブルスピーク（＝二重表現：他者の認識を操作するため、言葉の意味をわかりにくくする）を思い出してみよう。小説『1984』の中では、ブックブラザーが世の中を支配しており、その社会は完全なファシズム体制に移行していた。そこで暮らす人々は、全く無意味な文言で構成されたダブルスピークによる政治スローガンを信じ込まされていた。具体的なダブルスピークの例を挙げると、「戦争は平和である（WAR IS PEACE）」「自由は屈従である（FREEDOM IS SLAVERY）」「無知は力である（IGNORANCE IS STRENGTH）」と言った具合である。

この小説に登場する主人公らは、一つの世界の社会システムしか知らないため、「自由な社会」のあり方を理解できずに過ごしている。

そのため、「自由とは屈従である」と言われても、何ら違和感がない生活を送っているのだ。これは小説世界の話であるが、現代社会に生きるわれわれにも、実は同様の状況が発生している。

例えば独裁者は「自国民の自由を守るために彼らを統治する」と述べることもあるし、権威主義3.0に支配された世界では「リベラルな」（≒自由な）価値観の強制は実際に人々から自由を奪っている。

そのため、自由の定義を「自由でないもの」との差異を示しながら定義する作業が必要となる。

本書における「自由な社会」とは、権威主義が持つ特徴（自由でないもの）とは真逆の社会であると定義したい。

つまり、中央集権的ではなく、他者から価値観を強制されず、自らの意志で人生設計を描くことができる社会が「自由な社会」だということだ。

そして、その自由な社会のあり方（＝自由な価値観に基づく社会システム）を通じ、「人々が、自らの幸福の条件である自己決定の感覚を十分に認識できること」を是とするものだ。

したがって、筆者は「自由な社会」のあり方を定義するにあたって、権威主義の産物である既存の中央集権的な政府組織や、特定の価値観を押し付けるネットワークではない、新たな社会のあり方を示していくものとする。

その過程での既存の政府の役割を否定、または縮小する提案を読者諸氏に積極的に行っていくことになる。

テクノロジーの進化がもたらす2つの未来

テクノロジー進化の2軸

近年の著しいテクノロジーの革新は、従来までは実装困難と考えられてきた社会システムを、われわれが現実化するための能力を与えてくれている。

筆者の見立てでは、現代社会のテクノロジーの進化は2つの軸によって進んでいる。その2つの軸とは「**中央集権化の進展**」と「**自律分散の可能性**」である。

「中央集権化の進展」は、前章までに示してきた権威主義の進化型である。その進化は、究極的に人工知能が人間よりも合理的な結論を導く世界につながっていくものだ。

権威主義2.0はこのような体制に移行しやすい体制だ。

「中央集権化の進展」が加速していく方向性は、実は多くの人にとっては理解しやすい軸でもある。なぜなら、この方向性は非常に直線的な進化の過程を描くものであり、既存のシステムのあり方自体を否定するのではなく、そのシステムのアップデートを目指すものだからだ。

そこでは既存の行政サービスが合理的に提供されることにより、人々はビオトープの中の生き物のように、自らが管理されていることにすら気が付かないだろう。

ただし、このような変化の方向性では、政府によって人生が事前に設計されていない、人々が自らの幸福の条件である自己決定の感覚を十分に認識できるというような社会は実現できない。

筆者は「中央集権化の進展」による理想社会を目指す試みは、いずれ行き詰まるものと思う。

なぜなら、もう一つのテクノロジーの変化軸である「自律分散の可能性」は、中央集権的な社会システムや強制力の伴う価値観の押し付けを、急速に陳腐化するワクチンの役割を果たしてしまうからだ。

「政府」という社会システムは、既に限界が来ており、さまざまな矛盾が生じ始めている。この社会システムは次々と発生する現代社会の問題に対して、実は自らがその問題の一部となっていることも認識できないまま、さらに複雑なプログラムを追加し続けている。当初の設計から遥かに肥大化した政策の辻褄《つじつま》を合わせようとしても、そこに限界があることは自明だ。

したがって、この政府システムをアップデートすることを繰り返すよりも、そのシステム自体を可能な限り廃止、または縮小し、新たな代替的なシステムを実装するほうが賢明だと言える。

そこで、本章は「中央集権化の進展」とは異なる「自律分散の可能性」を目指す「自由な社会のあり方」を示すことで、その差異を理解し、自由な社会のあり方の本質を掴《つか》む作業を行っていきたい。

次節では「自律分散の徹底」された自由な社会を知るために、既存の権威主義に基づく社会システムとの相違を深堀していく。

分散性：伝統的な権威主義および権威主義2.0に対抗する

権威主義の構造

権威主義1.0や権威主義2.0は必ず「中心性」を有している。その対象が「絶対君主であるか」「一党独裁体制であるか」に関わらず、権威の発生源は単一主体だと言えよう。

権威主義の中心性を支える大義名分も、血統支配、伝統的宗教、党イデオロギーなどさまざまであるが、それらの論理を象徴する指導者が必ず存在している。

その環境の下においては、指導者の正統性が確保されるとともに、その正統性を脅かす言論は、強圧的・非強圧的な管理によって容認されることはない。

伝統的権威主義（権威主義1.0）や権威主義2.0は、社会を管理するために中央集権的な政府を必要とし、政府にさまざまな社会組織を服従させて組織化する。この中央集権化された組織は、人々の反抗的な動きや分離主義的な動きを見逃すことなく、社会序列に従った秩序を受け入れる存在となるように修正（教育）する。

その過程で、極めて反抗的な人々は再修正プログラムの対象となり、考え方を改めるまで強圧的な環境に置かれることになる。

さらに、次善策として、社会の管理を穏健な形で行うため、「社会信用スコア」といった、人々自らが、政府が求める枠組みの中に誘導されるように促す試みも積極的に講じられる。

権威主義の構造的脆弱点とは

伝統的権威主義（権威主義1.0）や権威主義2.0の体制下では、人々の自由は著しく制約されている。そのような環境下でも、政府が経済成長の果実を人々に分配できる間は社会の不満を押し込めることが可能かもしれない。

しかし、経済成長が鈍化し始めることで、次第に自由に対する制約は人々の幸福感の低下につながる可能性が高い。

また、政府によるネット上などの情報統制が何らかの形で突破された場合、人々に自分たちの秩序の外側に異なる価値体系によって作られた社会があることが知れ渡ることになる。その結果として、やはり人々の幸福感は減少し続けることになるだろう。

実際、第一章の冒頭で取り上げたブータンは、毎年国連が発表している「世界幸福度ランキング」で2013年に上位に付けたことから「世界一幸せな国」と呼ばれたが、今や世界下位ランクをウロウロする国となっている。

ブータンのランキングが上位につけていた理由は、国民に情報が閉ざされており、他国の情報が得られていなかったからだ。一度でも「必要最低限の暮らし以上の世界が外に存在する」と知ってしまった国民は以前の牧歌的な状況に戻ることはできない。「隣の家の芝生の青さを知ってしまった」ということだ。政府がこの状況を問題視し、無理やり修正しようとしても、それは国民の幸福感を増幅させることにはならない。

また、中国による新疆ウイグル自治区などでの再教育施設は悲惨な有様であり、政治的な正統性を主張する中央政府が定めた社会秩序に位置付けられない存在は徹底的に抑圧されることになる。

ただし、実際には、伝統的権威主義（権威主義1.0）や権威主義2.0による抑圧的な環境に置かれている人々を直《す》ぐに解放することは困難を極める。

そのため、少しでも隣の芝生を青くすることで、それらの国に属する人が向かうべきオルタナティブ（代替手段）を示すことが大事であるように思う。

権威主義に対抗する「分散性」

伝統的権威主義（権威主義1.0）や権威主義2.0の権威・権力の源泉は「中心性」にある。この中心性に対抗する概念として、自由な社会が有する「分散性」の概念は極めて重要である。端的に言うと、「分散性」とは権威・権力の拠り所となる「中心」が存在しないということを意味する。

「中心」が存在しない「分散」された自由な社会とは、どのようなものだろうか。

自由な社会では人々が依るべきところは、世界を支えるユグドラシル（図5）のような巨大樹のようなものではなく、無数に分散化された止まり木のようなものだ。

図5　ユグドラシル（世界樹）
Oluf Olufsen Bagge (1780-1836), Yggdrasil, Prose Edda, 1847（public domain）

そして、自由な社会に属する個人が属する止まり木は複数存在し、その個人の行動は自分で選び取った止まり木の特性の組み合わせによって構成される。

つまり、自由な社会では、唯一の権威・権力を持つ存在に組み込まれるのではなく、個人が複数に分散されたコミュニティから必要なものを選べるのだ。

伝統的権威主義（権威主義1.0）や権威主義2.0の特徴は、権威の源泉から逸脱した存在を排除・修正する。その社会の構成員は排除・修正を避けるための合理的行動として、権威・権力の中心に自発的に従うことになる。

ただし、排除・修正されかけた個人、または組織が直《す》ぐに他のコミュニティに移行できるとしたら、伝統的権威主義や権威主義2.0は早晩成り立たなくなるだろう。なぜなら、伝統的権威主義や権威主義2.0は次々とイレギュラーを排除し続ける必要があるため、次第にイレギュラーとされた人々の数が増加していくからだ。

社会に複数のコミュニティが存在し、イレギュラーを抹消することができず、イレギュラーとされた個人や組織が生き残る方法があるとしたら、伝統的権威主義や権威主義2.0は優位性を失うので、いずれは、その存在すら維持できなくなる。

例えば、ＤＶが酷《ひど》い父親が存在する家庭から抜け出す決意をしたとしても、他に行く当てがなければ独り立ちすることは難しいだろう。しかし、自分が複数のコミュニティの中で暮らしていくアクセス権を持っていると、勇気を出せば新しい人生の選択肢を掴《つか》むことができる。

また、会社の中で「自分の居場所がない」と感じる人も、最初から複数の稼ぎを得る手段（副業も含む）を持っていれば、その会社に対して残りの人生を無意味に捧げ続ける必要はなくなるだろう。

さらには、現在のロシアのように、望まない戦争を開始した母国から離脱するために、事前に国外で生きていくためのネットワークを作っておけば、躊躇《ちゅうちょ》なく国外脱出できるはずだ。

自らが望まない環境から離脱することができ、自らが望む環境を選ぶことができるためには、人生の手札を常に複数持っていることが必要だ。

そのような発想を是とするとともに、その手札が無数に供給されており、ほぼすべての人がその手札にアクセスできる社会こそが、自由な社会と言えるだろう。

もちろん、従来まで所属していた権威主義的なコミュニティから離れると、個人の心の中で葛藤が生まれるのも当然だ。

「貴方の価値や生活を保障するのは自分しかいない」と自称する全能感を持った存在から心理的・物理的に離れることは勇気がいる。

また、家族問題、転職問題、居住地問題、などによって、慣れ親しんだコミュニティからの離脱することは不安をもたらす。その結果として、さらなる権威への依存を発症し、「他者に自らの人生設計そのものを委ねたい」という誘惑に駆られることもあるだろう。しかしそれでは、実は自己の外側に存在する中心性に囚われた概念から永遠に自由になることはできない。

むしろ、一般的に想起し得る不安感こそが、権威主義が貴方の心の中に創り出した原罪だと言える。貴方自身の外に在りもしない中心性を植え付けられて、その権威主義が構成する社会システムの一部として生きる必要性はない。

仮に貴方が人生の最初から複数のコミュニティに属し、他の選択肢が確保された状況であれば、中心性の否定によって心の中に葛藤が生まれることはない。所詮、中心性を帯びた権威・権力などは、本来、相対化できる程度のものでしかないのだ。

そのため、権威主義1.0や権威主義2.0に対抗するためには、その社会の権威・権力が持つ中心性を弱体化させ、自由な社会の土台となる分散性を強化することが必要だ。可能な限り、自らの生活の糧、日常生活の場、心の拠り所をさまざまなコミュニティに分散させることが必要である。社会の分散性を強化するためにテクノロジーを用いることは極めて重要なことだと言えよう。

自律性：権威主義3.0の価値観の押し付けに対抗する

「自律性」という武器の本質と働き

自由な社会を成り立たせる、もう一つの概念として「自律性」にも注目したい。これを言い換えるなら、「非強制性」と言っても良い。「自律性」はリベラルな価値観を社会全体に押し付ける権威主義3.0との関係で問題となる。

権威主義3.0は、権威主義1.0や権威主義2.0と異なり、必ずしも中心性を持つアプローチは行ってこない。たとえ、西側先進諸国で中央集権的な政府機関がリベラルな価値観の政策を推進していたとしても、その政府機関は、そのような行為を推進するネットワークの一部分に過ぎないものだ。

権威主義3.0は、権威主義1.0や権威主義2.0などの中心性を有する権威主義体制を打倒した後に成立したものだ。そのため、権威主義3.0はリベラルな価値観を強制する分散化されたネットワークという特徴を有している。したがって、権威主義3.0との対峙を考慮した場合、自由な社会のあり方として、前述の「非中心性」つまり「分散性」を強調する主張だけでは不十分である。

権威主義3.0に対抗する試みは世界中でなされているが、その大半は古い権威主義からの反発やリベラルな価値観に対するヘイトばかりで、次の社会像を描き出す議論にはつながっていない。実に不毛な非難合戦や双方に対するヘイトの山が築かれているだけだ。

例えば、イスラム社会におけるヒジャブ着用の議論は、リベラルな価値観を持つ人にとっては女性の自由を抑圧する差別の象徴に見える。それ故に、西側先進諸国の女性団体などはリベラルな価値観に基づき、イスラム教に基づく権威主義に対して女性差別の撤廃を主張することになる。

しかし、リベラルな価値観を持つ人々が闇雲にイスラム教を批判したところで、伝統的な権威主義体制側からは「イスラムの正統性」と「欧米リベラルの不当な干渉」

という回答しか返ってこないだろう。双方一歩も妥協する要素がないどころか、お互いに不信感が募る一方だ。

ＬＧＢＴなどの性的志向の少数者に社会的権利を認めるか否かという問題はどうだろうか。この問題に対して、他者に自分の価値観を求めるというだけでは何ら生産的な議論は望めないだろう。

お互いが自らを健常な性的指向を持っていると信じて、それを認めようとしない他者を罵倒するだけのことだ。そこに築かれるヘイトの山は問題解決に至るどころか、人間が他者に自らと同化するように強いる、「醜い心の残骸」が確認できるだけだ。

さらに、旧来型の権威主義と権威主義3.0が融合して社会に対する抑圧を加えることもある。この事例としては、日本の都道府県に設置されている「青少年健全育成審議会」などが挙げられる。この審議会の仕事は社会に流通するエロ本などを健全・不健全に仕分けする作業だ。

私見ではこのような不毛な作業に税金が投下されていることに驚きを禁じ得ないが、今でもほぼ毎月のペースでこの審議会が現実に開催されている。

この場合、伝統的権威主義の価値観と女性の人権擁護のリベラルな価値観が合致し、それらに反する表現の自由などの諸権利に制約が加えられている。

権威主義3.0は、伝統的権威主義（権威主義1.0）や権威主義2.0と同じように特定の価値観を押し付けることで社会全体を一つの価値観で染め上げようとしているに過ぎない。

しかし、権威主義3.0は中心性を持たないネットワークであるため、批判すべき価値観を強制する主体を正確に捉えることができない。

そこには批判すべき物理的な対象は存在せず、リベラルな価値観によって形成された「分散型」のネットワークに対する漠とした不満を表明することしかできない。

したがって、不毛かつ無意味な批判、ヘイト、陰謀論などが次々と生み出され続ける結果となってしまうのだ。

「自律性」がポリコレに有効な理由

権威主義3.0のネットワークが社会に対して吐き出す規範は「ポリティカル・コレクトネス」（政治的正しさ）と呼ばれている。

西側先進国ではこのポリティカル・コレクトネスが社会の隅々にまで浸透している。他者が存在する場でポリティカル・コレクトネスに反する言動を行った場合、公人・私人に関わらず、社会的な立場を失う事態が頻発するようになっている。

本来は他者の価値観の是非を、他者が主観に基づいて安易に断罪する行為は正当化されるものではない。しかし、ポリティカル・コレクトネスとされる価値観に抵触した場合、社会のあらゆる方面から、容赦なく私刑に処される状況があることは厳然たる事実である。

ポリティカル・コレクトネスの本質は、他者と関わるすべての場を公共空間として定義し、その公共空間における他者の言動をリベラルな価値観で統制することにある。**本来は、私的な事柄の快・不快に過ぎないことに対して、公共性を帯びさせることで事の正邪を社会的に断罪する**のだ。

そこには巧妙な議論のすり替えがあるのだが、多くの人はその事には気が付いていない。なぜなら、断罪の基準となるリベラルな価値観と己の価値観がすべての面で合致しないケースは極めて稀だからだ。

したがって、私的な事柄をポリティカル・コレクトネスに照らし合わせて断罪しようとすると、一定の他者が、その断罪行為に関して理屈を並べて肯定する現象が発生する。そうして、ただの私刑に過ぎない行為がポリティカル・コレクトネスによって正当性を得ることになる。

ポリティカル・コレクトネスによる行き過ぎた統制は、第一章で触れた岸田政権における荒井秘書官（当時）のLGBTに対するヘイトに対し、ある新聞社の労働組合のTwitterアカウントの呟きにわかりやすく表現されている。その主張を原文そのまま紹介しよう。

「『思想信条の自由』を持ち出すのは場違い。思想信条の自由は国家権力やその他の力関係による統制を許さず個人の自由を守る文脈で言うもの。今回は首相秘書官という権力側、公人中の公人が主権者の人権と尊厳を冒涜した。言うのも論外、思うのも論外、強い批判に値する。」（出典：東京新聞労働組合・2023年2月5日ツィート）

確かに、たとえ内心で思ったとしても、口に出してはいけないことはあるだろう。

しかし、新聞などのメディアは、言論の自由に立脚する第四の権力である。そして、言論の自由は内心の自由がなければ成り立たないものだ。

その第四の権力の関係者が、自らの思想に反するものについては、「内心の自由までも認めない」と発言しているのだ。このような発言が平然と出てくるほどにポリティカル・コレクトネスの暴走は進んでしまっている。

ポリティカル・コレクトネスは「価値観」の問題であるため、赤の他人が個人の内心の自由を侵害するところまで容易に踏み込んでくる。なぜなら、権威主義3.0では人々が情報を取得すること自体、禁止されているわけではないからだ。

したがって、個人にさまざまな情報を得る機会を与えつつ、最終的にはリベラルな価値観で再度塗りつぶすプロセスが求められる。そのため、リベラルな価値観以外にも社会には別の価値観が存在することを認めた上で、その価値観を全否定するという主張のスタイルを取らざるを得なくなる。

価値観の押し付けに屈しないために

権威主義3.0では「多様性」「対話」「熟議の必要性」など、もっともらしい主張を羅列するが、最終的には一方的な価値観の押し付けに終始することになる。

このような権威主義3.0が押し付けるリベラルな価値観、そしてポリティカル・コレクトネスに対抗して、真に有効な対抗概念はどのようなものになるだろうか。

その概念こそが「自律性」である。

『広辞苑』によると、自律とは「自分の行為を主体的に規制すること。外部からの支配や制御から脱して、自身の立てた規範に従って行動すること」とされている。つまり、自分自身の正しさを自分の内面に確立し、その正しさに従うことが「自律」だと言って良いだろう。

自律した人生を送る人が増加することは、前述のポリティカル・コレクトネスの蔓延に対抗する最も効果的な処方箋になり得る。なぜなら、「自律性」は権威主義3.0の特徴を踏まえた上で、その主張を無効化するように作用するからだ。

リベラルな価値観自体には賛否両論が存在している。しかし、リベラルな価値観のネットワークが生み出すポリティカル・コレクトネスには強制性が伴う。その強制性は私的な事柄に「公共性」を付与させることで正当化される。

これに対して、われわれは「自律性」の概念を用いることで「公共性を付与された私事」から、再び「公共性」を取り除くことができる。「私事はあくまでも私事でしかないこと」が確認できるのだ。

「2ちゃんねる」を創設したひろゆき氏の口癖として「それってアナタの主観ですよね」というセリフがある。このセリフには対話者が私事を公共空間の議論に拡げようとする行為を押し戻す力がある。この言葉を言われた側は、「自らの価値観の他者への押し付け」という邪《よこしま》な企てを必然的に暴露されてしまうからだ。

人々が他者からの価値観の押し付けを拒否し、自律的な人生から生まれる主体的な判断を尊重し、現状の広がりすぎた公共空間を、できるだけ縮小することが望ましい。そのような「自律性」を有している人が増加することで、権威主義3.0が生み出すポリティカル・コレクトネスに対抗する社会的な雰囲気が醸成される。

「公共性を付与された私事」から「公共性」を取り除く

私的な事柄が公共性を帯びた議論になっている代表例としては「同性婚」が挙げられる。性的指向は極めて個人的な問題であり、その形に法的な保護、または差別の枠組みを与えることがナンセンスだ。

およそ法律パッケージに過ぎない「結婚」が、社会的に特別な位置づけを与えられていることは甚《はなは》だ疑問だ。事実婚を行った上で両者の細かい条件を、民法上合意することで何の問題があるのか良くわからない。

むしろ、法律婚以外の多様な人生を過ごしている人々に対して、法律や制度が心理的な疎外感を与えていることの問題は深刻であるように思う。

また、さまざまな理由をつけて、その是非が社会的に論じられているが、他人の性的指向など、当事者ではない人々には何も関係がないことだ。したがって、保守的な価値観を持っている人、リベラルな価値観を持っている人が、お互いに自分の性的指向を理論武装した上で相手に押し付け合っている姿は非常に滑稽なものでしかない。

なぜ、そこまで他人のセックスのあり方に関心があるのか、筆者には到底理解できないことだ。

ただし、このように述べると、例えば、「同性婚が法的に認められなければ、同性婚カップルは不動産の購入・賃貸契約などで現実的な不利益を受ける」という反論があるケースも見られる。

不動産の問題に関する解決策を考えるならば、地方自治体が「パートナーシップ条例」のような法的枠組みを新たに整えるのではなく、同性婚向けの法務サービスや金融ローンなどを作るほうが望ましい。あえて地方自治体の条例策定を巡って賛否両論を社会的にぶつけ合う必要はない。

自由な社会のあり方を論ずるには、「私的な価値観に基づく行為」を、公共の議論の場に持ち込まない姿勢が必要である。法律としても個人の私的な領域に踏み込むようなものは作られるべきではない。異なる価値観を持つ他者にポリティカル・コレクトネスを掲げて自らの価値観を認めさせる道は間違いだ。

仮にそのことで問題が発生するとしたら、それは現代社会が「自律分散した社会システム」を有する自由な社会ではないことに根差す問題である。

さまざまな価値観を持つ人同士がお互いに強制的な了承を求める行為を是とするのではなく、価値観が異なる人々が最初から異なる価値観をぶつけ合うことなく過ごせる仕組みづくりが必要だ。

社会的な衝突を回避する仕組みを丁寧に整えていくことによって、権威主義3.0が創り出すポリティカル・コレクトネスの大半は私的事柄として解決されて不要になる。

そのため、「自律性」をキーワードとして、さまざまな価値観を持った人々が自分たちの問題を自己解決できる場を創出することが重要である。自己の求めることに対して無用な抑圧を抱えることなく、他者の行為に対する干渉を最小限に留めるのだ。

そうすることで、人々は自己決定による幸福を感じやすい環境を創り出すことができるだろう。

「揺りかごから墓場まで」から「人生の選択を尊重する社会」へ

自分の人生を主体的に選ぶ

さて、ここまでは権威主義1.0、権威主義2.0、権威主義3.0に対抗し得る自由な社会のあり方にとって「自律分散」の概念が重要であることを説いた。そのうえで、既存の権威主義が創り出した古い社会システムは、徐々に解体していくことが必要だ。

既存の権威主義が創り出してきた社会システムは、人間の人生を「揺りかごから墓場まで」設計しようとしてきた。

筆者はこの「揺りかごから墓場まで」という福祉国家のスローガンは、現実にも実現は不可能であり、なおかつ人生の不自由を人間に求めるものだと思う。

第二章でも見たように、これらの社会制度の大半は世界恐慌・第二次世界大戦などを経て、多くの人々を、事実上「公務員」と同じような扱いにしたことで生まれたものだ。

その制度が高度経済成長の果実を分配することで、制度対象者を次第に拡大し、現在に至っている。ただし、その制度の対象を拡張する行為自体にそもそも無理があり、財源不足と増税によって人々の自由を制約している。

多くの人々が、既にこの制度は限界を来していることを薄々感じており、その設計思想自体に対しても違和感を覚えている。

この制度が現在でも継続している理由は、現行システムの代替となる選択肢が提示されてこなかっただけのことだ。

人間の惰性による思考停止こそが真の問題である。

われわれは一度立ち止まって、当初設計から拡張され切って原型を失った諸制度について、その価値観の根本から見直すべきである。

つまり、「揺りかごから墓場まで」という標語を完全に放棄し、自由な社会の考え方に基づく制度の見直しに着手することが望まれる。

「人生の選択を尊重する社会」とは

筆者は新たな標語として「人生の選択を尊重する社会」を掲げた社会システムの設計が望ましいと考える。

人間が出生してから老化で死んでいくという運命自体は変えられない。

しかし、そのライフステージごとに、政府によって事前に決められたレールが敷かれているわけではなく、民間の自律分散した試みによって、さまざまな選択肢が用意された社会になることは可能だ。

そのため、まずは政府に管理されている人生の設計図を人々の手に戻していくことが肝要だ。人生の各ライフステージにおける政府サービスの撤退、そして人々の自由な選択を尊重することが大事だ。

もちろん、保育から年金まで、各ライフステージを一気に人々の手に戻していくことは困難である。そのような選択を突然急激に断行すれば、社会は大混乱に陥り、結果として人々が政府統制を求め直す雰囲気が支配的になることもあり得る。そのため、現実的には徐々にやりやすいところから始めることになるだろう。

学校教育を再考する

例えば、政府が設計主義を止めるべき分野として、教育サービスなどの分野が最もわかりやすいだろう。

現代日本では小学校から中学校までの義務教育を受け、高等学校を卒業し、大学で学位を得るまでの教育サービスの一つの流れとなっている。（本書第二章では教育制度は取り上げなかったが、明治初期の学校制度の変遷も興味深い。興味がある人は是非自分で調べてみてほしい）

しかし、本来「子どもに何を教育するべきか」という問いに対する正解は、実は誰にもわからないことだ。子どもが教育を受ける目的、教育を受けて身に付けるべき技能、教育課程を経て得る友人らについても、実際のところ、親の間でも、子どもの間でもコンセンサスなどないだろう。

実際は、ただ漠然と就学年齢が来たら、政府が用意した枠組みに従って、誰が決めたかも良くわからない授業内容を受けているだけだ。子どもが学校教育で受ける教育内容を逐次チェックした保護者など、ほぼ存在しない。

政府が設計した学習指導要領に基づく小中高の教育は、当然のことながら、政府の中央集権システムを肯定するものとなっている。

子どもたちは、大した意味もなく教えられた教養科目の点数で序列化され、その延長線上にある公務員試験を目指したラットレースを走らされている。日本では「官僚は優秀だ」という都市伝説はこうして形成される。子どもたちは中央集権体制の正統性を刷り込むための茶番に12年間も付き合わされている。

権威主義1.0や、権威主義2.0の下ではそれで良かったのかもしれないが、滑稽な姿だ。さらに、最近では権威主義3.0の影響を受けて、あらゆる社会問題の解決を教育に求める傾向もある。2022年4月の学習指導要領改訂では「金融商品による資産形成」を学校教育の内容として盛り込むことになった。また、SDGsが社会的にブームとなったことから「ESD教育」（→67ページ）などが持て囃《はや》されている。

しかし、学校教員は教員養成過程を経ただけで、実社会での業務経験がほとんどない人々だ。学校教員は子どもにモノを教える一定のスキルは持っていても、新しい社会事象や専門スキルを正確に教えられる術を持っていない。（そのため、学校現場も疲弊し、教員があまりに無体な状況となっている）

権威主義3.0の浸透によって、あらゆる社会問題を教育と子どもをスケープゴートにして片付けようとし、キメラ（異質同体）のように意味不明な教育カリキュラムができ上がっている。

子どもたちは公務員になるのでもなければ、何の役に立つのかもわからない教育を小中高12年間も受けさせられる。そのうえ、大学受験を経て進学した大学で彼らを待っているのは文部科学省が適切だと審査した化石のような教授による講義だ。（特に文系）

それらの教育の帰結として、生きていくための糧を得る就職に苦労する学生が生まれ、奨学金が返せない人が続出している。この教育サービスの内容を改善しようという人々が現れても、その大半の人々は、現状のシステムを追認した上で、その弥縫策《びほうさく》（物事を取り繕うための処置）を講じるばかりとなっている。

本来必要なのは、子どもの時代である小中高の12年間を、政府から人々に返還することだ。筆者は何もいきなり読み書き算盤を教えることすら止めろと述べているわけではない。それに、当面は何の意味がなかったとしても、小中高の学位も取得するほうが現実には便利だろう。

ただし、例えば、子どもによっては、学習指導要領に規定された内容を一律にこなす時間は明らかに無駄だ。

その内容を徹底的にスリム化し、子どもが確認テストを受ければ学位が得られるように制度改正し（飛び級の積極承認など）、登校時間を徹底的に減らすべきだ。政府の教育サービスは貴方の人生の成功を保証してくれるものではないからだ。子どもが習得すべき技術は、政府や学校が想定しているよりも遥かに早く進化している。

したがって、われわれは子どもたちに民間で有償・無償で次々に開発される質の高い教育サービスを子どもが受ける時間を取り戻すべきだ。（その具体例に関しては後述する）

一概に教育と言っても、「何の教育なのか」ということで細かく分けて対処することも大事だ。技術教育なのか、情操教育なのか、教養教育なのか、それらもさらに細分化して分けていくことが可能だ。

われわれが一つの概念として認識している事象は、実は見方によって、バラバラの主体によって提供される可能性もある。

このような概念の細分化は、一見して途方もない問題に思える「少子高齢化」などの問題に対する場合も有効なアプローチになり得る。

高齢時の生活基盤をどのように得るのか、という問いに対し、「公的年金」というソリューションしかないことは、あまりに貧弱すぎるだろう。

個別の高齢者の資産状況も異なれば、身体状況も、社会的状況もすべて異なることは言うまでもない。そのような複雑な状況に対して、政府が一元的に解決策を導き出すことなど到底不可能だ。

一部の政治家などから「高齢者に対して一元的に資産課税を課して再分配する」という雑な議論が出てくる理由は、政府が高齢者の人生設計をすべて管理することに事実上失敗しているからに他ならない。政府や政治家にこれ以上の弥縫策《びほうさく》を作らせるのではなく、現行の行政サービスを停止していき、減税や規制廃止を通じて国民の手に自由を戻していくこと大事だ。

「政府が人生のすべてを設計する」という前提を捨て、「多様な主体が多様な形で各々が望む形で人生に関与する」という自由な社会を前提としたものに移行すべきだ。

すべての人が、自らの人生の中で「いつ、何に、どのように関わりを持つのか」という主体的な選択を尊重することが求められる。

自律・分散型の社会システムのモデルケースを想定する

「自律的に生きる」とはどういうことか

では、ここまでの抽象的な話から一転して、自律分散したシステムに基づく自由な社会とはどのようなものかを具体的に想定してみよう。

それは、人々が「自分の人生にとって重要だ」と思う要素を組み合わせて生活することができる社会だ。そのため、本項では人々が他者と無用な衝突を回避し、なおかつ自律分散した人生を送る幾つかのモデルを示すため、AさんからEさんまで5人の人物を想定していく。

まずは「自由な教育」の中で育つ学生の生活を描いてみよう。ここでは中学生の男子学生のAさんを便宜上想定する。小中高の概念をいきなり廃止すると読者も思考がついていけなくなるので、古い社会から自由な社会への過渡期にある生活を描写する。

男子中学生・Aさんのケース

地方の中堅都市で暮らすAさんの生活は毎朝決まった時間内に起床するところから始まる。起床後、午前中はアルバイトに数時間出勤し、自分のための小遣いを稼ぐ。午後には学校アプリで「学習指導要領に基づく」録画授業を3時間ほど学習する。（一日で一番ダルい時間だ）

その後は別の学習アプリで「プログラム」や「国際政治」に関する授業を受ける。これらの学習アプリはネット上で行われた資金調達で組成され、無償で作成・更新されている。

平日や土日の概念は存在しておらず、自分で組み立てた毎週の予定に合わせて学習スケジュールは組まれている。この学習スケジュールの組み立ても、ネット上に存在する学生コミュニティでの議論を参考にしながら、自分の家庭環境にあった最適なものを構築している。

友人・知人関係は、ご近所アプリで出会った趣味の仲間との集まりや、ネット上で出会った遠方の人々との会話を楽しむ形だ。最近は世界の人々と翻訳アプリを使って話すうちに低開発国の教育問題などにも関心が出てきている。

身体を動かすのは得意ではないが、稼いだ小遣いの一部を利用して、近所のボルダリングジムで店長から指導を受けている。日常的な出来事について家族と話し、最新のアプリについて、気の合った仲間と意見交換、その後、風呂に入って就寝。

いかがだろうか。子どもの時間は無限の可能性に満ちている。

少なくとも毎朝学校に通学する必要など全くないし、顔を合わせたくない人々に会う必要もない。世界には数十億人の人類が存在しており、ワザワザ狭い人間関係で苦労するために学校に行くなどナンセンスだ。

学習指導要領アプリなども本来は不要で、ただのブラックジョークである。（ただし、このような自由な社会になる前の過渡期としては、学校アプリの定期的テストの点数が低いと社会信用スコアが低下し、アルバイトやその他のサービス利用に支障が出るような設計になることもあり得る）

読者もこのケースを読んでわかったと思うが、子どもはもともと政府が決めたペースで学校に行く必要などないのだ。教育サービスを提供する主体も学習スケジュールの作成方法もすべて民間から供給できる。「学校に行かせることで集団生活を学ばせる必要がある」と一部の界隈の人から説教をいただきそうであるが、そもそも社会生活自体も変化していくものだ。その中での集団生活やコミュニケーションのあり方も当然に変質しているのだから無意味な批判だろう。

次に、現役の働く世代を想定したモデルケースを想定してみよう。LGBTカップルのBさんを取り上げてみようと思う。

40代LGBT・Bさんのケース

Bさんは40代のプログラマーである。30代までは第一線のプログラマーとして過ごしてきたが、最近では若いプログラマーの技術に付いていけなくなっている。

そのため、それまでの仕事で培った信用を生かして複数のプロジェクトを立ち上げ、そのマネジメント業務に力を注いでいる。

今や大手のビッグファームは、複数の目利きプログラマーが審査した有望な案件に出資するだけの存在となっており、Ｂさんは出資を受けてプロジェクトを組織化する常連だ。

Ｂさんの知恵袋は、ネット上で出会ったスポーツ愛好者のコミュニティであり、コミュニティ参加者からのアイディアを生かしたビジネスを立ち上げている。（アイディアに対する報酬はトークン〔↓２１４ページ〕として支払っており、優れたアイディア提供者には経済的な対価も払われるようになっている）

Ｂさんは ＬＧＢＴであり、パートナーと二人暮らしだ。多様な形の結婚が認められたことで、法律による婚姻関係は廃止され、あらゆるパートナーは、婚姻のあり方や財産分与などについて、事前に民法上の契約で整理している。

現在の居宅は都内のタワマンであり、ＬＧＢＴのコミュニティ内で組成された不動産ローンで購入したものだ。趣味として取り組んでいるプログラミングスキルを活かして中高生向けのアプリで学習支援を行っている。

最近はＡさんという青年からオンラインでのＱ＆Ａで質疑に応えており、Ａさんの途上国支援のアプリを作りたいというアイディアに助言を行っている。

近年、ビックテックはシリコンバレーで有望な企業を買収する戦略を採用している。大手企業に無限に近い資金があったとしても、アイディアがなければ無価値である。したがって、今後ますます世界が一つにつながるプロセスの中で、内資・外資を問わず、有望なプロジェクトには資金がさらに投入されるようになるだろう。

また、さまざまな背景（性的志向、民族、宗教、その他）によって、ネット上でのつながりも盛んになり、そのコミュニティが抱えている問題を自分たちで解決する動きが活発になる。問題解決に実は政府による関与は必要ない。むしろ主張が対立する人々との調整が必要な分だけで、無駄な衝突によるストレスが増えるだけだ。

次にボルダリングジムを経営しているCさんの生活を見ていこう。

ボルダリングジム経営・Cさんのケース

Cさんは両親が浮気問題・DV問題で別居し、Cさんを引き取った母は交通事故で他界。その後、祖父と二人暮らしの幼少期を送った。

高校卒業後、幾つかの力仕事のアルバイトを転々とし、数年前まではボルダリングジムでのアルバイトとして生計を立ててきた。その後、ネット上のスポーツコミュニティに参加し、そこでさまざまなボルダリングの遊び方に関する提案を行った。最初は何となく遊びでやっていたが、貢献に応じたトークン（↓214ページ）が得られるようになり、そのトークンを換金して自らボルダリングジムを創業する原資の一部にした。そのジムの場所は、幼少時に生まれ育った場所だった。

Cさんはスポーツ仲間であったロシア人の女性と結婚、その後キリスト教に入信して同性婚には反対の立場である。心の中ではLGBTの人とは会話するのも嫌だと思っている。今では祖父も亡くなっているものの、父子家庭や高齢者の一人暮らしを支える基金などへの寄附を行っている。

目的を中心に集まったコミュニティではお互いの素性を明かすことなく、アイディアの交換をすることが可能だ。各コミュニティがトークンなどを発行することで、そのコミュニティへの貢献に対して対価を支払うことができる。

コミュニティに参加する人のすべての人格に対してお互いに合意する必要はない。お互いが自律的に選んだコミュニティに合意できる側面の要素のみを生かして参加すれば良いだけである。

次に、高齢者向けの社会保障基金を運営しているDさんを想定してみよう。

高齢者向け社会保障基金運営・Dさんのケース

Dさんはスウェーデン人であり、すべての一人暮らしの高齢者に人生の生きる喜びを与えることを目的として基金を創設している。

もともとはネット上でプログラムミング教育アプリを開発し、そのビッグデータを大手企業に販売するサービスを運営していた。

その後、教育アプリを通じて稼いだ資金を原資として同基金を創設した。その基金の運営は、世界中から趣旨に賛同したコミュニティに属する個人による投票によって運営されており、世界各国のさまざまな高齢者サービスに投じられている。

同基金を通じて収集されたビックデータは、賛同企業にも活用されており、それらによって得られる資金も、基金の永続性を担保する一助となっている。

高齢化が著しいアジア圏の参加者も多く、特に日本の地方都市の高齢化は深刻であり、同地域への基金からの資金投下割合も非常に大きくなっている。

Eさんは翻訳コミュニティにトークンを支払うことで、愛犬の記録を世界各国語で全世界に向けて配信する趣味も持っている。

最後にEさんについて想定してみよう。EさんはAさんと同じ町に暮らす一人暮らしの高齢者だ。

独居高齢者・Eさんのケース

Eさんは今年齢85歳になる高齢者だ。最近ではすっかり足腰も弱くなり、家の外に出ることも少なくなってしまった。愛犬は一匹、身寄りもない。

最近の楽しみは、ネット上で見る保守的な政治番組であり、日本国内から外国人を追放すべきとする排外主義的な思いを日々募らせている。

近所の中学生のA君が毎週のように自宅を訪ねて、犬の散歩を代わってくれた上に話し相手になってくれている。最初はバイト代を貰ってやってくる子どもと話すのは嫌だったが、実際に会ってみると良い青年だった。今となっては毎週彼が訪ねてくる時間もネット番組とともに生き甲斐の一つだ。

Eさんのもう一つの趣味は犬の動画を見て心を癒すことだ。唯一の家族である愛犬が亡くなった場合、Aさんに残り少ない財産を引き継いだ上で、自らも安楽死を迎える覚悟を固めている。

Eさんは典型的な排外主義者であるが、彼のもとに訪ねてくるAさんが海外の基金からの支援で行われているプログラムによって行われているとは知らない。Aさんから Eさんの皆が「自分が良い」と思っているコミュニティに貢献することで、すべての営みが循環してつながっているのだ。

このように筆者が想定する自由な社会とは、政治的分断や社会的分断が全く解消される必要がない社会だ。

むしろ、異なる主張を持っている人々を公共空間で触れ合わせることは余計な衝突を生み出すだけだと考える。

したがって、ある人が別の誰かに自らの価値観を押し付けようとする行為を縮小し、およそあらゆることをすべて私的な事柄として対処していく世の中になることが望ましいものと思う。公的な色彩を帯びた途端、本来であれば、私的に解決可能な問題が解決不能な難題になってしまう恐れがあるからだ。

そのためには、多くの人々が政府によって設計された無機質な人生設計から離れて、自分の人生を自分で決める、という形に戻ることが重要だ。国境線や行政区画を超えた多くの人々が複雑に絡み合う（しかも本人同士は知らない形で）ことで、単線上に設計された政府システムよりも、強固で柔軟な社会システムを構築できる可能性は十分にある。

自律分散型の社会システムが個人の自由な意思決定を支えることで、ピラミッド構造の中央集権的な知性が創り出すことができない、ジャングルのような力強い生態系を持った社会を構築していくことが望まれる。

次々と創設される分散型自律組織（ＤＡＯ）

ＤＡＯの本質

さて、前項では「トークン」という言葉を度々《たびたび》使用してきた。読者によっては耳慣れない言葉であり、「トークンとは一体何か」という疑問が浮かんだことだろう。もしかしたら、本書の想定読者である政治思想や制度・政策に興味がある人には苦手な分野の話かもしれない。そのため、この項からは少し我慢していただき、新しい社会のキーコンセプトを共有するため、しばらく我慢して話に付き合ってほしい。

自由な社会を実現するための社会システムを実装するキーコンセプトは、「ＤＡＯ」である。ＤＡＯとはDecentralized Autonomous Organizationのことであり、日本語では「分散型自律組織」と呼称されている。

DAOは特定の所有者や管理者がおらず、コミュニティとしての一定のルールの下で、事業やプロジェクトが運営される仕組みだ。

これは株式会社など、特定の所有者が明確になっている既存経営形態とは異なるもので、コミュニティの創立理念に基づいて、コミュニティ参加者によって自律的に運営されることに特徴がある。

DAOはブロックチェーン技術の発達に伴って注目されてきた存在であり、新しい組織形態としてWeb3.0の世界で注目されている。

従来までの組織論の基本は、その中心に権威的な管理者が存在していることが前提であった。身近な存在としては、政府やSNSプラットフォーム事業者などである。政府やSNSプラットフォーム事業者は、自らが管理する「場」への圧倒的な支配力を有しており、人々はその掌の上で右往左往する存在に過ぎなかった。

その「場」に対する管理コストは非常に巨大で、強大な力を持つ組織のみが場を掌握することができた。その結果として、「場」の所有権自体は、場に参加する人々の側にはなかったと言える。

それに対して、ブロックチェーン技術は特定の場で行われた取引に関して、無数の人々によって、その負荷が分散される形で記録されるシステムのことだ。

このシステムが誕生したことによって、かつては政府やSNSプラットフォーム事業者しか提供できないと思われていた、さまざまな社会サービスが人々の手によって供給される可能性が指摘されている。このブロックチェーンを用いた自律分散した組織がDAOなのだ。

DAOの運営に貢献した人々に交付される暗号資産は「トークン」と呼ばれ、その種類によってDAOのコミュニティ運営に関与する資格などが与えられることになる。このトークンは経済的価値も有しており、人々の間でDAOが定めた一定のルールの下で取引される。DAOは抽象的に説明したところで、初学者にとっては非常にわかりにくいものだ。特にデジタル分野に弱い人にはピンとこないものだろう。

DAOへの参加には初歩的なデジタル知識が必要であり、今後はそのハードルをさらに引き下げていく試みが生まれることが期待される。

したがって、本書では、現存するDAOについて具体的に紹介することで、DAOがどのようなものであるかを理解してもらえれば幸いである。

地域振興の取り組み

日本の政治シーンの中で最も著名なＤＡＯの一つが山古志村のＤＡＯだろう。

筆者はこの山古志村の取り組みは、著しい少子高齢化の進展に対処するため、日本の地方自治体のスタンダードな取り組みになっていくものと思う。

山古志村自体は２００５年に新潟県長岡市に編入合併されて行政区としては消滅している。（現在は山古志地域と呼称。ただし、本書では便宜上山古志村で表記）

しかし、地域の歴史や伝統は知る人ぞ知る場所であり、「棚田」「錦鯉発祥の地」「牛の角突き」などの観光資源も存在している。

現在、山古志地域の人口は約８００名程度ではあるが、実はデジタル村民とされる人々が１０００名以上も在籍している。

このデジタル村民こそが山古志村のＤＡＯに集まった人々である。

このＤＡＯの趣旨文を読むと「バーチャル上に、人・モノ・金・情報が継続的に集まるコミュニティ『山古志』を形成し、現実の山古志地域にある地域課題の解決策や地域活性化を、地域住民とともに検討し実践していくもの」とされている。

同村は中越地震による人口減少の流れに抗《あらが》いきれなかったが、２００２１年12月、村の特産品として知られる錦鯉のＮＦＴ（Non-Fungible Token）を「電子住民票」として販売した。初年度としてはＮＦＴを購入した人々が、ＮＦＴ売上の30％を予算として執行するための投票権が与えられた。ＮＦＴの売上自体は約１４５０万円ほどだった。その結果として、２０２２年2月にはトークン保有者による総選挙が実施されて「デジタル帰村」などのプロジェクトが発足・実行されることになった。

この山古志村の取り組みは、行政区としての枠組みを失った地域が、地理的に枠組みを超えて帰属意識を持つ「デジタル村民」を新たに創出して復活した点で注目される。山古志村のＤＡＯは同地域の人口減少に対する一つの回答であり、観光地として大量の人々が押し掛ける形ではなく、地域に愛着を持つ人々との穏やかな交流が行われるモデルの一つとなるだろう。

現在では山古志村の取り組みを模倣し、他の地方自治体でもＤＡＯを創設する動きが出てきており、日本全国でも類似の試みが着実に広がりを見せている。

科学研究分野の取り組み

ＤＡＯはさまざまな領域で積極的に立ち上げられている。

DeSci（Decentralized Science：分散型サイエンス）と呼ばれる分野のＤＡＯも筆者が個人的に注目している試みだ。DeSciは科学技術の開発研究を支えるＤＡＯである。従来までは科学研究（特に非営利的なもの）に関しては、政府が資金提供すべきものとして位置付けられてきたが、ブロックチェーンに支えられたＤＡＯは、科学研究にも変化を起こしつつある。

科学者が研究活動を実践しようとする場合、政府からの検閲の問題、政府からの補助金などの煩雑な事務、商業圧力によるバイアス、著名な研究雑誌への掲載圧力など、自由な科学的学究活動を阻害する要因が多数存在してきた。DeSciはその問題を解決するコミュニティであり、科学の民主化に寄与し得る試みだ。

DeSciの事例として、「VitaDAO」という長寿研究を実践するＤＡＯを紹介しよう。このＤＡＯはバイオテックとブロックチェーンを組み合わせたコミュニティであり、大学や研究機関などの研究室に資金援助を実施することを目的としている。

既に総額15万ドル以上、５０００人以上がプロジェクトに参加しているDeSciの嚆《こう》矢《し》となる存在だ。

ＤＡＯに出資した人々は、知的財産権が紐づけられたＮＦＴを購入することで資金援助を実施するとともに、研究コミュニティに参加できる。

参加者は、従来まで資金調達の観点から研究投資の対象にならなかったプロジェクトの組成にも関わることができる。（参加者の投票によって研究対象を選べる。このように組織の運営に関わるトークンを「ガバナンストークン」と言う）さらに、将来的にはＤＡＯが保有している特許を製薬会社などに売却することで利益を得ることも想定されている。

巨額の資金調達がDeSciで実施されることが常態化するようになった場合、既に限界を迎えつつある政府の科学技術研究予算を民間の取り組みでより良い形で代替していくことができるだろう。

教育分野の取り組み

また、教育分野でのＤＡＯも誕生しつつある。

ＭＩＴ、ハーバード、オックスフォードなどの国を超える８つの大学が共同で２０２１年に設立した「EduDAO」は３３００万ドルを調達、毎年１１００万ドルのプロジェクトに投資する。この投資はＷｅｂ3.0の分野に取り組む教授や学生に渡されることになるが、資金提供を受けた側はプロトコルのガバナンスに参加することやシステム開発に貢献することが求められる。

大学側も毎年のEduDAOに一定の拠出を行うことが必要だ。しかし、ＤＡＯの仕組みを構築することで、同取り組みに参加する大学の魅力は確実に増すことになるだろう。

このような教育分野の取り組みには他にもさまざまなものがあるが、大学レベルでなくとも民間の教育分野で応用するＤＡＯも無数に生まれてくるだろう。

さまざまな教育を求める親が種銭を拠出することを通じて、小中高大のさまざまな教育レベルの学校組織、または民間企業らと共同し、優れた教育システムを新たに構築することはそれほど難しくないように思える。ゲームシステムと組み合わせた教育関連のＤＡＯなども設計することが可能であろうし、従来まで教育とは無関係であった主体が、それらの試みに参加するイノベーションも大いに期待される。

スポーツクラブの取り組み

スポーツクラブもＤＡＯに取り組み始めている。

２０２２年12月アビスパ福岡株式会社は、「福岡から世界に広がるイノベーションモデルを共創する」ビジョンの実現を目指した、「アビスパ福岡イノベーションＤＡＯ」を発足した。ＤＡＯ発足に伴い、２０２３年1月10日からアビスパトークンの発売を開始している。

トークンホルダーはスポンサー冠試合として行われるホームゲームのさまざまなイベントについて、スポンサーに代わって決定することができる。具体的にはワンデーマッチの名称や関連グッズのデザイン案などに投票できる仕組みだと言う。

このような取り組みはまだ始まったばかりで、トークンホルダーが関与できる枠組みが非常に限定的であるように感じるが、さまざまなスポーツ関連団体に横展開されて拡大していく間に、より広範な意思決定に関与できる事例も増加していくだろう。

このようなＤＡＯ化した組織は、今後、社会のさまざまな分野に拡大していくことになる。

それは現在政府が圧倒的なプレゼンスを発揮している福祉分野においても同様だ。介護、子育て、医療、年金などのあらゆる難題に関して、人々が知恵とリソースを出し合うことで、さまざまな意思決定の権限が人々の手に戻っていくようになるだろう。

ＤＡＯで運営される介護施設、子育て施設、医療機関などが創設されるとともに、人生の終末のあり方や、人が生きた記録の保存を担うＤＡＯも現れるかもしれない。

その必然的な結果として、従来までの社会システムは大きく変更を迫られることになる。

もちろん、筆者はすべての組織形態がＤＡＯに移行するとは思ってはいない。今後も株式会社などの他の組織形態は存続していくだろう。

しかし、より多くの人々がＤＡＯに何らかの形で参加していく未来は必然的なことだと言える。なぜなら、ＤＡＯの運営理念である非中央集権的、かつ非強制的なコミュニティは、既存の権威主義に対する「自由な社会」からの明確な回答となるものだからだ。

人間は常に自由を求めており、自由を得るための方法が共有されることで、社会はさらに自由を求める方向に常に進化していく。

戦争に対して「自由な社会」はどのように考えるか

安全保障のコストとリスクをどう考えるか

筆者のように「自由な社会」の重要性を主張していると、「隣国から戦争を仕掛けられた場合に、どのように対応するつもりなのか」と質問されることがある。「自らを守り、外敵と戦うために政府が必要だ」という主張に、どのように回答するべきだろうか。

筆者が志向する自由な社会のあり方は、リバタリアン（自由至上主義）の考え方に近似している。ただし、筆者はリバタリアンの人々の戦争に対する回答はあまり現実的なものではないと考える。（曰く、自衛団や傭兵団を組織化するなど）

もちろん、そのようなパルチザン的な組織があれば、占領軍による統治は困難を極めることになる。その結果として、いずれは統治コストの負荷に耐え切れず、敵国軍の撤退可能性は増加するだろう。しかし、それはわれわれ自身の生命・財産に膨大なコストをもたらす愚策であろう。

直近の大規模な戦争は、ロシアによるウクライナ侵攻である。圧倒的な軍事力を持つロシアに対して、国民皆兵的な形で対抗するウクライナの頑張りには驚かされてばかりだ。

その主要な要因の1つは、ドローン技術などの兵器技術の進化がある。従来型の重厚長大型の軍事兵器を大量投入したロシアに対し、ウクライナ側は欧米から情報面での充実した支援を受けながら、トルコ製ドローンなどの軽量な武器を用いて応戦している。

ドローンによる中空からの攻撃は、ウクライナのような中規模国家にも上方から敵を攻撃する能力を与えており、近年、空からの攻撃を受けてこなかった安保理常任理事国にとってネガティブな意味でエポックメイキングな事態となっている。

また、ロシア軍も正規部隊の疲弊が見られており、傭兵部隊であるワグネルのプレゼンスが高まりつつある状況だ。プーチン大統領は核戦力の増強を明言し、アメリカなどの西側諸国を挑発している。

ただし、核兵器行使は自身の終わりも意味しており、実際の使用に踏み切るハードルは極めて高い。ロシアのウクライナ全土の早期併呑《へいどん》計画が頓挫《とんざ》したことで、たとえ強大な軍事力を持っていたとしても、同盟国などからの支援がある限り、敵国を完全に屈服させることは容易ではないことが確認されている。

だが、このウクライナのやり方は、戦争に巻き込まれる人々が背負うコストとリスクがあまりに膨大過ぎる。

そのため、このような安全保障に関する戦略は別の方法があるなら採用すべきものではない。無数にある他の方法のうち、幾つか事例を挙げようと思う。

日本が目指すべき姿

仮に日本が自由な社会に転換していくとしたら、外敵からの侵略にどのような対応を行っていくべきなのだろうか。

日本は周囲に中国、ロシア、北朝鮮などの軍事国家を抱えており、常に危機的な安全保障環境の中に位置付けられていることは自明だ。

現状においては日米同盟が防波堤となり、隣国は日本に手を出すことができていないだけである。（ロシアにとってのNATOと同じ）

しかし、他国に依存した枠組みだけではいずれ、私たちの生命・財産が危険に晒されることもまたわかり切ったことだと言えよう。

筆者は安全保障体制を強化する上でも、自律分散を基本とした安保体制および防衛予算の構築を行うことが望ましいと考える。

本書執筆時（2023年3月現在）、岸田政権が主張するように、防衛費を2倍にした場合、自衛隊の予算には膨大な無駄が生じることになるだろう。

本来不必要な予算支出は、意思決定を煩雑にするために、他の有効に機能するはずの軍事力も機能不全に陥らせる可能性がある。これは常識的な組織論としては十分にあり得る事態だ。往々にして、組織内部からは組織の肥大化の議論しか生まれず、外部からの指摘がない限り、ネガティブな要素は是正されることはない。

そこで、精強な軍事力を構築するために、軍事組織の外部に優れたシンクタンクが構築され、常に監視・低減されていることが重要となる。

中央集権的な軍事機構に対し、自律分散した民間組織からさまざまな精査が行われる体制を作ることが大事だ。

そのためには安全保障に関する知識の自律分散化が求められる。つまり、政府機関に独占された外交・安全保障の知識を民間に開放することを通じ、社会のあらゆる側面から精査を受ける形にすることが重要だ。

そうでなければ、軍事組織というものは遠からず腐敗し、日本の自衛隊がロシア軍のような時代遅れの脆弱な組織となり得る。具体的には、安全保障関連の回転ドア人事の導入などは必須のものだと言えるだろう。

民間が政府支出のチェックを行う米国

毎年天文学的な軍事費を支出している米国では民間シンクタンクが防衛予算の精査を常に実施している。軍事戦略、戦術、作戦、兵装、訓練などが陳腐化せず、常に最先端を走ることができる理由の一つが政府外部からのチェックにあることは間違いない。

このためには、米軍ＯＢだけでなく外交、経済、科学技術などの多方面に軍事知識を持ったエキスパートが、政府から自律して歯に衣を着せずモノを申せる環境があることが重要だ。政府を裸の王様にすることなく、民間側からの政策提言が活発に行われることが望ましい。


戦争は軍隊が戦場のみで実施するものではない。特に民間が開発した新技術の導入は戦争の勝敗に決定的な差異をもたらす。そのため、常に技術革新を促すために、あらゆる種類の技術に関する規制を廃止し、民間の自由な活動を振興しておくことが重要だ。そうして開発された高い技術力は、相手国の兵器を無力化・弱体化する結果につながることもある。

例えば、ウクライナがドローン戦において優位を確立した理由の一つは、日本がロシア製ドローンに使用されていたエンジンの一部技術を停止したことも地味に影響を与えている。その結果として、ロシアは自前のドローン生産が追い付かず、イランからドローンを購入する迂遠な兵站管理に陥っている。

現在、日本政府は自国内でのドローン使用に関して厳格な規制を課しているが、政府の技術革新を阻害する行為を廃止し、常に最先端の能力を持つことを志向するべきだろう。

国民自身でも自衛する方法を想定する

また、自国の軍事力を精強なものとし、民間の科学技術力を振興したとしても、戦争が一度発生すると、社会的弱者の立場は非常に厳しいものとなる。

ウクライナの事例を見てもわかるように、日本周辺で有事が発生すると、必然的に難民が発生することになる。（日本自身も当然に例外ではない）

そのため、個々の日本人が外国に難民として避難する可能性を考慮し、互助的なネットワークを構築しておくことも重要だ。

ただし、これは個人で行うことは困難であろうから、事前にＤＡＯ立ち上げやＤＡＯに参画することで対処することが望まれる。このような試みは日本政府には不可能であるため、民間の自発的活動として準備しておくべきことだ。

同盟国を支援する枠組みとしてもDAOはその可能性を見せている。

ウクライナ戦争開始時に民間主導で立ちあげられたDAOなどによって多額の義援金が提供された。その義援金の使途はDAOやプロジェクトによって異なるものであり、使途は、寄付者の意向に沿ったものに使用したとされている。

その信用性は推薦するインフルエンサーなどの顔ぶれによっても担保されており、寄付のための判断基準の提供者にも目新しさを感じる。

同プロジェクトで配布されたNFTなどが今後どのような価値を持つのか、単なる記念品的なものになるのかは未知数であるが、いずれにせよ、同盟国や友好国を支援する枠組みにも分散性・自律性が伴ったものが出現してきている。

以上のように、一見すると、政府が一元的に取り扱うのが当然視されがちな安全保障の分野でも、さまざまな人々が自律分散的に関わる余地があることが理解できると思う。そのためには、近代的な官僚制や常備軍の概念を、より現代的な戦闘にフィットした形で作り変えることが重要だ。

政府に独占されている知識を自律分散化させるとともに、あらゆる技術分野においてプレゼンスを高めるように政策を変更していく努力が求められる。

もちろん、アメリカの武装権や、スイスの民間防衛のような国民皆兵的な議論を行うこともできるが、世界には各国政府が有する強力な軍事力が存在している以上、それらはあくまでも最終的な防衛手段でしかなく、それ以前に取り組めることにしっかりと取り組むことが必要であろう。

暗号資産がもたらす中央銀行による管理通貨体制の転換

暗号資産が拓く、越境した政治環境

本章の最後に、より野心的な試みとして、暗号資産が創り出す新たな政治環境について記述しておこう。

今のところ、これは全くの空想ではあるものの、筆者はある種の政治的な革命が暗号資産によって引き起こされると確信している。そのため、どうしてもこの話題を本書でも取り上げておきたい。

現在、世界中の多くの国では自国の法定通貨が使用されている。

ドル、円、元、ポンド、インドルピーのような法定通貨だ。これらの通貨は中央銀行が存在しており、中央銀行の差配によって各国単位で金融政策が実施されている。同様に中央銀行が存在する通貨としてユーロも存在しており、ユーロ圏においては通常の各国単位の法定通貨と同様に流通している。

私有財産の保持は、「人権」を担保する上で、最も基礎的な土台となる要素だ。したがって、財産を保全する方法としての通貨は、人々の政治的・経済的アイデンティティーを形成する最重要事項だと言える。

先進国の金融行政は、中央銀行による国際的な金融ネットワークの外側に位置する暗号資産の取り組みには極めて否定的だ。

ただし、これは中央銀行体制が抱えているさまざまな問題の裏返しでもある。仮に暗号資産の取引が完全に自由化されて、その流通量が膨大なものになった場合、世界の中央銀行による管理通貨体制は危機に瀕することになるだろう。

一部の人々による政策決定で金利が決定される、恣意的な金融行政に対する不信感は高まり、無数の人々に支えられたブロックチェーンに基づく暗号資産（仮想通貨）が最終的に信任を得る世界が訪れる可能性も十分にある。（筆者は中央銀行による暗号資産に対する締め付けは、後世の歴史の中で無駄な努力であったと位置づけられると確信している。いつの時代であったとしても、政府が禁止しようとしても、便利で有用なものは必ず普及していくことになるからだ。世界各国の中央銀行が金融緩和・引き締めを恣意的に実施することで、自国法定通貨の信用を毀損し続けており、なおかつマネーロンダリング規制などで海外送金の煩雑さは増す一方だ）

また、世界では自国通貨の信用が低く、自国内にも関わらず、自国通貨の流通量が低い国も存在している。

例えば、カンボジアは内戦を経て自国経済が混乱し、現在では大半の取引でドルが使われるようになっている。そのため、カンボジアの自国通貨であるリエルの流通量は約1割程度に過ぎないと推量されている。

また、南米であってもブラジルと国境を接する国々の通貨は極めて不安定であり、民間取引ではブラジルの法定通貨であるレアルでの支払いを好む国も存在している。

先進諸国は通貨価値が高く、安定した価値保存手段として自国通貨が利用されているが、世界では自国通貨が安定的な価値の保存・交換手段として信用されていない地域が数多く存在している。そのため、自国通貨が弱い国の中ではビットコインを法定通貨として定める国が現れ始めている。

中南米の最貧国の一つであるエルサルバドルは2021年9月に自国通貨の他に世界で初めてビットコインを法定通貨に指定した。

エルサルバドルのような途上国では銀行口座を持たない国民も多い。そのため、海外に出た出稼ぎ労働者からの送金の受け入れも、銀行より暗号資産のほうが便利という側面もある。

さらに、ビットコインを法定通貨として、その流通が確かなものとなれば、同国に巨額の投資が行われる可能性もある。エルサルバドルはその夢に賭けたのだった。

今のところ、エルサルバドルの試みは大失敗に終わっている。

国民の大半はビットコインをほぼ利用しておらず、ビットコインによる巨額の投資も行われることはなかった。その原因はビットコイン価格の暴落であった。多くのメディアや識者がエルサルバドルの取り組みを揶揄《やゆ》し、同国のブケレ政権は無謀な夢を見た滑稽な失敗事例として扱われている。

しかし、筆者はエルサルバドルの現状を、必ずしも完全に失敗とは捉えていない。

むしろ、エルサルバドルの取り組みは、これから始まる大変化の第一歩であったと認識している。なぜなら、従来まで金融サービスを利用できなかった多くのエルサルバドル国民が、デジタルウォレットを手にした意味は極めて大きいからだ。

人口650万人の同国で、暗号資産用のウォレットを有する人数は既に400万人を超えている。エルサルバドルではこれまでクレジットカードを持たず、銀行口座を有する人は200万人しかいなかった。つまり、多くの人が金融アクセスの端緒を得たことになる。（ただし、デジタルウォレットは普及したものの、前述の理由から、それが十分に活用されるには至っていない）

今後、エルサルバドル一か国だけでなく、多くの有力な法定通貨を持たない地球の南側の国で、暗号資産が法定通貨として採用されていく可能性は十分にある。

すると、同じように従来までは銀行口座を持たなかった人々にデジタルウォレットが次第に普及していくことになるだろう。その結果として、暗号資産は先進諸国ではなく、南側の国々において事実上の通貨として機能することになる。

これらの試みは国境を超えているため、越境的な価値の保存・交換が暗号資産によって行われることが常態化していくことになる。

そして、先進国・途上国の両国で、暗号資産によって自らの資産保全を行っている人々が当然に増えてくるはずだ。

これは前述の暗号資産に紐づくトークン経済を基盤としたＤＡＯの取り組みなどが盛んになることによって加速化していく流れとなるだろう。

暗号資産が創り出す越境政党誕生の可能性

暗号資産が変える政治のあり方

そこで、さらに近未来の政治状況について野心的な見通しを読者に示しておこう。それは暗号資産を共通の基軸とした越境政党の誕生である。

過去にも国境を超えた連帯を有する政党が人々に認知されたことはある。古くはソ連共産党が組織した各国の共産党組織や、直近では2010年代に欧州で注目されたスウェーデン発祥の「海賊党」など、さまざまな取り組みが過去に行われてきている。しかし、前者は中央集権的な組織構造、および政策内容によって自壊し、後者は理念先行型で、支持基盤や財務基盤の見通しが不十分なものであった。

また、一見すると、海賊党は外形的には国境を超えたムーブメントではあったものの、実際にはそれらを支える連帯の靭帯は極めて脆《もろ》いものだった。

それらと比べて、暗号資産保有者は、「暗号資産の価値保全」という共通の財政的誘因を持っている。また、暗号資産の特性上、必然的に自律分散型の政治理念も保有者は十分に意識しないうちに共有している。

そのため、暗号資産の普及とともに、私欲と理念の両方が必然的に揃った政治的個人が各国の中に誕生していくことになる。

前述のとおり、各国政府は暗号資産の積極的な活用を制限し、金融行政の括《くく》りを超える状況が出現することを防止しようとしている。

しかし、仮に一か国の中で自分の資産形成のうち10％でも暗号資産で行うようになれば、そのような既存政治のあり方は一変することになるだろう。

なぜなら、暗号資産を有する個人が増加した場合、政府が私有財産の価値を毀損《きそん》する政策を推進することに反対の声が上がるため、為政者は少なからず民意の高まりを考慮することになるからだ。（日本でも暗号資産に関する税制改正の機運が高まるなど）

だが、本当の政治の変化は、その程度では留まることはないだろう。

暗号資産の特徴は同一の暗号資産を持つ人々が越境して存在しているということだ。通常は一国の中でしか政治的な利害関係を有さない一般の個人が、必然的に世界中の暗号資産保有者と利害を共有することになる。

これは極めて革命的な出来事であり、遠からず暗号資産保有者の利害を代弁する越境的政党（または政治勢力）が誕生していくことになるだろう。（各国の選挙制度などとの兼ね合いで、どのような形になるかは千差万別だろうが…）

それらの政党、または政治勢力は、従来までの中央集権的な制度を前提とすることなく、国際的な視座やテクノロジーによる社会進歩の観点から、税制改正や社会制度改革を提言していくものになる。

第4章
「自由な社会」の人生の生き方

「自由」に生きる事例としてのノマド

「自由な社会」のライフスタイル

「自由な社会」において、人々はどのような暮らしをしているだろうか。

そして、その環境に適応するための能力には、どのようなものがあるだろうか。

現代社会において自由に生きる「ノマド」は、自由な社会を代表するモデルとして取り上げられることが多い存在だ。ノマドとは、定住せずに移動しながら生活する人のことで、実在しているライフスタイルの一種である。

仕事、趣味、文化体験、自然体験など、自らの興味関心に従って移動する人もいれば、単純に転々と移動しながら生活することが性に合っている人もいる。「nomad」は、

「遊牧民」という意味を持つ言葉で、ラテン語の「nomad」、ギリシャ語の「nomados」（牧草地）という言葉が語源となっている。

このようなライフスタイルは、権威主義の抑圧的な傾向とは対極的な生き方だと言えるだろう。これらの人々の生活では、人間関係も常に組み換えが行われることで、さまざまな出会いを通じて人生に成長と刺激が尽きない。

自分自身の時間や労力を他者に管理されることはなく、自分のペースでさまざまな活動を行いやすい側面も持つ。そのため、この生活に馴染んだ人にとっては、他者によるストレスが少ない環境で暮らせることも利点だ。

ノマド的なライフスタイルは、古来から一部の人々の間で行われてきたが、近年の世界の変化はノマド生活により適した社会環境を創り出している。オンラインでの仕事環境が整備されたことは、フリーランスやリモートワークによる仕事を可能としており、決められた職場への通勤という場所による制約が薄まっている。

また、社会的な価値観がモノからコトに変化しつつあることで、物を持たないミニマリストとしてのシンプルな暮らしの価値観が認められやすい状況が生まれている。

さらに、知識社会化の影響によって、オンライン上でのコミュニティ活動も活発化しており、人間にしかできない創造性がある活動に付加価値が付くようになっている。その結果として、一部のデジタルリテラシーの高い人々は、既に国籍なども単なるツールとして扱うようになっており、グローバル化した社会の中で、自由な暮らしを謳歌している。それらの人々は高所得者からそれほど裕福ではない人まで、さまざまなケースが存在している。

しかし、現実問題として、現代社会に生きる人々の生活がいきなりノマド化することは全く想定できない。これらの人々の生活は一部の特殊な条件を満たした場合に可能であり、極端に地理的・社会的な流動性が高い生活を望まない人々のほうが実数としては多いものと思う。

人間は一定の安定を得ようとするものであり、ノマドの暮らしは必ずしもすべての人が望むものではない。誰もかれもが旅をしながら暮らせるわけでもなく、家族や友人との新しい形での関係性を築けるはずもない。

若い人の中にはノマド化する人々も次々と増えてくるだろうが、日本ではその暮らしに物理的・精神的に耐えられる人々がどの程度存在するかは疑問だ。そのため、ノマドを取り上げた書籍などは、一部の人々を特別視して紹介する内容に終始しがちだ。

また、直近では単純に住む家を失っただけの形のノマドも増えている。

これは米国において顕著であるが、キャンピングカーでその日暮らしのワタリガラスのような生活をしている人もいる。彼らがその生活に至った帰結は必ずしも自由意思の結果だけでなく、経済環境の変化などで辿《たど》り着いた場所でもある。

筆者は必ずしもそのようなノマド的生活を肯定するわけではないので、ノマドのすべてをやたらと褒《ほ》め上げて美化する主張を好まない。

ただし、世界的な権威主義の蔓延という問題を前に、自由な社会を再構築していくためには、ノマドが持つ「自由主義のエッセンス」をわれわれの生活に部分的に取り入れていくことも重要だ。なぜなら、その社会のあり方は、社会を構成する人々の集合だからだ。社会を構成する人員の社会規範・生活習慣が変化することで、自由な社会に向けて一歩でも進んでいくことが望ましい。

また、好む・好まないに関わらず、情報技術の革新は私たちにノマド的な生活変化を起こしていくことは必然的でもある。

そのため、現状の暮らしにノマド的な要素を加えてバランスを取った人物像こそが当面の自由な社会の担い手になり得る存在と言えるだろう。

そこで、本章では自由な社会の人物像に資するノマド的な要素について、特に人間心理や社会接点に関する部分に焦点を当てて解説していく。

あえて今後の社会に必要とされる具体的なビジネススキルについては言及しない。それらの陳腐化のスピードは極端に上がっており、この場で「○○こそが次に必要とされるビジネススキルだ！」と言ったところで、そのような予言は必ず外れる（＝陳腐化する）ことが目に見えているからだ。

さらに、高度に情報技術が発達した世界では、個人の仕事スキルの付加価値は残存するものの、究極的には「その人自身の存在価値」が問われるようになる。

その際、当該人物のスキルは個別の学習活動とコミュニケーションから構築されるため、その土台となる**人生のスタイルにこそ付加価値の源泉が移る**ことになる。

そのため、人生のスタイルを決定する人間心理や社会接点のあり方を分析し、それらから導き出された要素を、実社会における自己の生活に必要に応じて加えていくことが大事だ。

本章で特定した能力が、読者諸氏の生活を、自由な社会に対応させるために役に立つこと、読者一人一人が土台となった自由な社会の礎となることを願うばかりである。

権威主義社会で必要とされる能力の急速な陳腐化

権威主義2.0型社会で求められる人物像とは

今後、「自律分散型の自由な社会に求められる能力」を知る前に、その比較事例として権威主義社会で必要とされる能力を振り返ろう。物事の本質は、異質な要素を持つ他者との比較によって成り立つものだからだ。

そこで、まずは権威主義社会の典型である、中央集権的な社会構造で必要とされる能力を検討してみよう。

中央集権的な社会・組織構造の強みは「標準化」「トップダウン」「責任所在の明確化」という点にある。

第一に、社会・組織全体を統一的な基準で「標準化」することで、同品質の製品・サービスを設計・生産し、個別の人々に対応するコストを最小化することができる。

第二に、決断権限を持つ人間が事前に設定されているため、「トップダウン」で一度物事を決めれば、その後の動きで一貫性を保つことができる。そして、内部に意見対立があったとしても、全体方針に個人は従うことになる。

第三に、「責任所在の明確化」が行われることで、決断に対する責任を取らせることが容易である。そのため、社会・組織のトップには強い責任感が求められると同時に、組織の個々の構成員は自分の行為に対する責任から解放されることになる。(大臣や社長などの上司が責任を取って社会的に切腹することでケジメとなる)

リーダー・フォロワーに求められる資質

このような中央集権的な社会・組織に求められる人物像は、トップリーダーとフォロワーによって大きく異なる。

トップリーダーに求められる要素としては、「強いリーダーシップ」である。ビジョンを示し、他者の手本となり、一貫性があり、コミュニケーション力が高く、情熱を伝搬させ、ストレスに対しても強い人物が求められる。まるでスーパーマンのような話であり、このような人物は稀有であるため、現実には多くの組織は頭から腐って堕落していくことになる。

一方、フォロワーに求められる能力は、「与えられた業務を着実に遂行する力」である。往々にして、企業などはトップリーダーに求めるべき能力を理想の社員像として対外的・対内的に発信しているが、それは達成不能であるばかりか、虚偽の主張と言っても差し支えないだろう。（社内訓示などで「経営者と同じ目線に立て！」などを宣《のたま》う会社もあるが、実際にそのような視点を社員に持たれたら困るだろう）

権威主義社会の組織は、フォロワーにトップリーダーと同じ能力も意欲も求めていない。フォロワーに求められることは、常識があること、チームワークを守ること、期日とおりに仕事を終わらせることなど、「秩序に従う能力」である。

そのため、トップの方針が現場に落とし込まれた際、フォロワーの動きは良い方向・悪い方向のいずれにも動く可能性がある。

中央集権的な社会構造は、少数のトップリーダーの個性に依存した、リスクの高い構造を有している。現実には組織の構成員に、自ら決断すること（＝責任を取ること）を好まず、より上位の人物に責任転換するインセンティブが強く働いており、総じて無責任な状況が生まれやすい状況に陥っている。

このような社会では、人々の自由と責任のバランスは歪《いびつ》な状況になっており、現場で起きている状況の変化に、敏感に対応するインセンティブにも欠けている。そのため、何らかの問題が発生した場合、適切な対応を取ることができず、大問題に発展するまで気が付かない可能性もある。

権威主義3.0型社会で求められる人物像とは

一方、中央集権的な社会構造を有さないものの、リベラルな価値観を強制するネットワーク型の社会構造を持つ権威主義3.0で求められる人物像はどのようなものだろうか。

権威主義3.0において求められる人物像は極めて歪《いびつ》なものである。

それは、「建前としてのポリティカル・コレクトネスを無難にこなせる人物」だと言える。もちろん、ポリティカル・コレクトネスの建前自体を否定することは難しく、ポリティカル・コレクトネスを、つつがなくこなせる人材は概して有能であろう。

では、なぜそのような能力を持つ人物像が歪《いびつ》だと言えるのだろうか。

権威主義3.0の社会構造は中心性が弱く分散化されているため、「トップダウン」「責任の所在の明確化」という特徴を持つ中央集権組織とは大きく異なる。

ただし、トップダウンによる意思決定は存在しないことで、誰もが責任を取る主体にはなり得ない。

強いて言うならば、ポリティカル・コレクトネスに違反した個人がリベラルな価値観を強制する社会ネットワークで、私刑によって処されるだけのことだ。

個別の機関は非常に脆弱であり、何らかの形でメディアスクラムを組まれると、標的にされた人物は、仕事も名誉も人間関係もすべて失うことになる。

その私刑の対象となる基準は、当該人物が目立っているか、具体的に誰かに告発されたか、というだけだ。なぜなら、権威主義3.0のネットワークを機能させるためには「怒り」の熱量が必要だからだ。私刑には、勧善懲悪の社会的雰囲気の形成が極めて重要な要素となる。

ただし、「標準化」という観点においては、リベラルな価値観の強制が是とされるため、この点においては伝統的な権威主義や権威主義2.0と同じだ。

この「標準化」とは「価値観の標準化」を意味しており、リベラルな価値観をベースとした制約の中でのみ、人々の言動の多様性は認められる。

そして「包摂」という概念で、ネットワークの一部となることが求められ、リベラルな価値観に反する言動をする人々は、「イレギュラー」として徹底的に排撃されることになる。何らかの社会的な問いに対する回答は、リベラルな価値観による秩序を乱さないものが求められる。

複雑性が増し、変化の速い社会に対して、リベラルな価値観は決して万能ではない。ポリティカル・コレクトネスが実質的に強制されていることで、リベラルな価値観以外の多様な価値観に基づく意思決定は誤ったものとして排除されていくことになる。

権威主義3.0には、中央集権的な組織と比べて独自価値を体現する個人・組織は生きづらく、個別組織の内輪の論理は通ぜず、構成員全員がポリティカル・コレクトネスに合わせた、ミスのない言動が必要とされる。

そのため、全員がトップリーダーなきフォロワーとなり、トップリーダーが実質的に担ってきたビジョン提示力（≒真の意味での多様性・革新性）が社会・組織から失われていくことになる。そのため、大半の人々は「空気を読む技術」や「不必要に目立たない能力」が求められるようになる。

時折提示されるビジョンは、ポリティカル・コレクトネスの焼き直しでしかなく、とにかくイレギュラーとして目立たず、排除の生贄《いけにえ》にならないように気をつけなくてはならない。物事の責任は上司ではなく、私刑によって個人が取らされるからだ。

以上のように権威主義2.0、権威主義3.0の世の中で必要とされる能力を概観してきた。仮に、自由な社会に急速に移行することが実現できた場合、これらの能力は陳腐化していくことになるだろう。

これらの能力しか持っていない人々は、社会の質を改善するイノベーションを生み出しにくく、人類社会の停滞・衰退につながっていくことになるだろう。

今後、本書が想定する「自由な社会」が創出され、そして発展していく場合、人々には全く逆の能力が求められることになる。

そして、そのような「自由な社会」に対応する能力を持った人々が徐々に増えていくことで、われわれの社会・組織自体も大きく変わっていくだろう。

「自由な社会」で生きるために必要な3つの能力

世界では権威主義が蔓延しており、前述のとおり、権威主義には大きく分けて3つのタイプが存在している。

それは、伝統的な権威主義1.0（王族や宗教による支配）、権威主義2.0（巧妙な民主主義の骨抜き・テクノロジーによるガス抜き）、そして権威主義3.0（非中央集権的なネットワークによるリベラルな価値観の強制）である。

このような権威主義に対抗するためには「分散性」「自律性」に重きを置く「自由な社会」が必要である。この、「自由な社会」とは、特定の中心となる人物や組織が存在せず、自律した思考を持って主体的に行動する人々によって構成される社会のことだ。

「自由な社会」に向かって社会が変化していくには、人々の思考や行動も「自由な社会」に合わせたものに変化することが重要になる。

従来までの権威主義が作り出していた社会や、人生の「正しい」設計に頼ることはできない。人々は自由な社会に順応し、人生の選択の自由が尊重される社会にライフスタイルを適応することが求められる。

読者諸氏は、本書を通じて「自由な社会」に求められる能力を先駆けて認識することができる。したがって、新しい時代に必要な能力を身に付け、地に足がついた形で新しい人生の第一歩を開くことができるだろう。

「自由な社会」で求められる「強靭性」「選択性」「決断力」

自由な社会に必要とされる能力は大きく分類して3つの能力となる。

その3つの能力とは「強靭性（レジリエンス）」「選択性（オプショナリティ）」「決断力（デタミネーション）」である。この3つの能力は人生の選択肢が飛躍的に拡大する自由な社会を生き抜くために必須アイテムとなるだろう。

第一の「強靭性（レジリエンス）」は自律的な思考・行動を支える根幹となる能力である。その能力は「認知的柔軟性」「自己連続性」「他者理解力」によって支えられる。

「認知的柔軟性」とは、状況の変化に対して過去にとらわれず柔軟に判断をしていく能力である。通常の場合、環境変化に対する対応能力として定義されるが、自己の内面のアイデンティティー形成の柔軟性とも密接に関係している。

次に「自己連続性」とは、過去の自分と今の自分がつながっていると認識する能力である。「今日の自己の決断が、明日の自己の状況につながっている」という感覚を持ち自分自身のストーリーをつないでいく力とも言える。自己連続性が強固に存在することで、自らの意思決定の自律性が高まる。

最後に「他者理解力」とは、自己のストーリーの文脈に他者を位置付ける力である。外的な要因である他者の存在に対する理解は、自分自身から見た他者に対する定義で変化していく。そのため、障害となり得る他者に対する認知を、自分のストーリーに照らし合わせた形に位置付けることで、自らの言動にも変化を起こせる。

第二の「選択性（オプショナリティ）」は自らの人生に選択肢を持つための能力である。

人生の幅を持たせるための分散性を高めることを目的とし、「会員制（メンバーシップ）」「自己分析力」「心理選択」によって支えられる。

「会員制（メンバーシップ）」とは、自らが有するアイデンティティーに関して他者との関係を「見える化」して認識することだ。複数のグループ創設または参加を通じて、自分自身のアイデンティティーの分散性を高める。このことはさまざまな決断を行う際に自らの手札を増やし、問題解決のための選択肢を再構築することにつながる。

次に、「自己分析力」は、前述の会員制の枠組みを、自己にとって効果的に利用するために必要なものだ。これは過去の自らの経歴を中心とし、自分自身の要素を詳細に分析する力を指す。自分自身に付帯するさまざまな要素を明確化する作業を通じて、自らが自然な文脈で所属できるコミュニティを選択できる。

最後に、「心理選択」は、自らの人生の選択の動機を整理するものだ。複数存在する会員制組織の中から、自分自身が所属を選択する際の基準を構築する。自分自身がどのような事柄に強い選好を持っているかを知るための方法と言えるだろう。

第三に「決断力（デタミネーション）」も重要な能力であり、決断の速度・精度を上げることを意味する。この能力は「敏捷性」「習慣化」「読書」によって支えられる。

「敏捷性」は、決断スピードの速さを指す。複雑化し、急激な変化が伴う社会に対応するためには、決断スピードを速めるための方法が必要である。そのためには、経営学の分野で注目されるOODAループ（↓305ページ）を自らに叩きこむことが重要である。


次に「習慣化」によって良い習慣を定着させ、困難な判断に資源を投入できる体制を作ることも必要不可欠だ。そのためには、毎日の習慣を効果的に定着させることが望まれる。人間の決断は一朝一夕で成り立つものではなく、習慣化することで初めて「決断」に役立つものとなる。そのため、毎日決断を重ねることを習慣化することで、折れない判断力を身に付けることができる。

「読書」は、過去の賢人の成功・失敗を自らの血肉するための方法だ。他者が残した本を読み重ねることで人間は実質的な長寿を得ることができる。読書を継続することで事の正否を見通した決断が可能となる。

権威主義による抑圧に対抗し、自由な社会を作るために、これらの能力は必ず役に立つ。この能力は過去の社会（中央集権的な社会構造）で重要とされる能力とは、大きく

図6　「自由な社会」で求められる「強靭性」「選択性」「決断力」

強靭性（レジリエンス）	選択性（オプショナリティ）	決断力（デタミネーション）
❶認知的柔軟性 ❷自己連続性 ❸他者理解力	❶会員制 ❷自己分析力 ❸心理選択	❶敏捷性 ❷習慣化 ❸読書

異なるものだと言える。自律的した思考に基づき、主体的な行動を行うための能力である。

自由な社会は複雑で変化が激しいものであり、その環境に適応することが必要となる。

適者生存の法則の下、新しい社会を構築し、その中で生き残っていくためには、この3つの能力を効果的に自らの人生に取り込んでいくことが重要だ。（図6）

強靭性❶（認知的柔軟性）

まず、第一の能力である「強靭性」、自律的な思考・行動を支える根幹となる能力を構成する要素を深堀していく。最初に取り上げる要素は「認知的柔軟性」である。

２０２０年直後、コロナ禍などで社会情勢は一変してしまった。半強制的なロックダウンと表現しても差し支えない自粛要請によって、多くの飲食店が街中から姿を消した。

そして、現在は日常を取り戻しつつある街並みも、閉店したテナントなどがいまだに残されたままとなっている。コロナ禍において政府からのバラマキ給付金で儲けた事業者もいるが、多くの事業者は急激な変化で苦境に立たされ、社会にいまだに爪痕が残った状態となっている。

認知バイアスから脱却するための「認知的柔軟性」

このような社会の大変化が起きた時、心理的な防衛本能として「認知バイアス」が発生する。認知バイアスとは、物事を判断する際に、直感やこれまでの経験に基づく先入観によって、非合理的な判断を下してしまう現象である。

「社会が変わってしまったことを信じたくない」という思いが働き、現実を直視しないことによって心の安定を保つバイアスとも言える。

認知バイアスによる罠には、旧日本陸軍のような組織から、現代の大企業や自営業の個人に至るまで必然的に囚われてしまうものだ。

この認知バイアスのレベルが極端になってしまうと、人間は現在地から一歩も進めなくなってしまう。結果として、周辺環境が直《す》ぐに元に戻るなら深刻な問題は発生しないが、その変化が永続的な状況となる場合には致命的な痛手を負うことになる。

国家であれば滅亡、企業であれば倒産、個人であれば破産など、さまざまなデメリットが発生する。

現代社会は変化のスピードが極端に上がっており、従来までは一定の指針にできた中央集権的意思決定の陳腐化の速度も激しい。

今日と明日はつながっているけれども、今日と明日は同じことが起きるとは限らない社会となっている。一瞬の油断によって認知バイアスに囚われてしまうと、直《す》ぐに時代から取り残されてしまう。

したがって、自らの認知バイアスを常に意識し、その罠に陥らないようにする必要がある。そのための認知バイアスを回避するための重要なコンセプトが「**認知的柔軟性**」である。

[*1]「認知的柔軟性の理論」は、ミシガン州立大学の教育心理学の[*2]ランド・J・スピロ教授が創始したものだ。彼は認知的柔軟性について「**根本的に変化する状況の要求に適応して、多くの方法で自分の知識を自発的に再構築する能力**」と要約している。要は認知的柔軟性とは、**過去に徒《いたずら》に拘《こだわ》るのではなく、臨機応変に対応する能力**と言って良いだろう。

例えば、認知的柔軟性が高ければ、コロナ禍の影響で対面の会議が実施できなくなった場合にオンラインに速やかに移行すること、飲食店の店舗が開けなくなった場合に

＊1　Spiro, R., & Jehng, J., Cognitive flexibility and hypertext: theory and technology for the non-linear and multidimensional traversal of complex subject matter. In Nix, D. & Spiro, R. (eds.). Cognition, Education and Multimédia: Exploring Ideas in High Technology. *Hillsdale New Jersey: Lawrence Erlbaum Associates, 163-205*. 1990

宅食サービス中心のビジネスモデルに切り替えること、または早々に店舗を閉めて、回復の兆しが見えたところで一気に巻き返しを図る決断をすることなど、主体性を持って創造的なアイディアを導き出すことが重要できる。

状況に対する認知を固定化せず、柔軟に考えることによって、一見すると危機の真っ只中にあったとしても、大改革を伴うチャンスの到来と捉えることもできるだろう。

このような認知的柔軟性は、社会環境の変化に対応するためのコンセプトとして知られる。ただし、実は**その能力を十分に発揮するためには、自分自身に対する理解についても、さらに柔軟性を高めることが望ましい**。そのため、**自分自身の自己像について、過去の連続性を踏まえつつも柔軟に変更を加えていく**ことになる。

人間は自分自身について「○○な人間だ」「○○ができる」「○○…」という具合に、自分自身について認知バイアスを持っている。

これは、実は他者に対して持っている認知バイアスより強いこともあり得る。自分自身のことを知っていると思い込んでいるが故に、人間の自分自身に関する思い込みも激しくなるからだ。

＊2　Rand Spiro：Michigan State University PROFESSOR
Ph.D., Pennsylvania State University
https://education.msu.edu/people/Spiro-Rand/

しかし、周辺環境の変化について効果的な対応を行うためには、自分自身のアイデンティティーを見直すことは、最も即効性が高い対応方法の一つだ。

ただし、幾ら周辺環境に対応するためであったとしても、自らのアイデンティティーをすべて異なる要素で再構築することは不可能だ。そのため、既存の自らの柱となるアイデンティティーの中から「捨て去るもの」を選択し、そのうえで「新たに加えるもの」を選ぶことが重要である。

例えば、コロナ禍になる以前、人気店のレストランの厨房で料理を作っていた人が、コロナ禍の状況ではオンラインでの料理教室を開講するとしたらどうだろうか。その場合「人気店の料理人」としての自分のアイデンティティーを一部見直し、「ブランド力を持った料理の先生」としての要素を追加することになる。加えて、それまではレシピなどの他人に情報公開しなかった要素を開示して販売する形にシフトすることもあり得る。

このような変化は、単純なビジネスモデル以上に自分自身のあり方に対する変化を求めることになる。

この際、自分自身を演出し、他人を納得させるストーリーを作るため、それまでの人生を大きく振り返ることも必要になるだろう。厨房の中でお客様に触れることなく過ごしてきた人が、オンラインで料理を教える立場になることで、自分自身の性格的な強み・弱みを組み換える人生スタイルの変更を行うことは大事だ。

自分のアイデンティティーの棚から、それまではカビが生えて使っていなかったアイデンティティーの要素を引き出すことが求められる。

自分自身に対する「認知的柔軟性」を発揮するためには、多様で力強いアイデンティティーのリストを常に自分の中に抱えておくことが必要となる。

自分は「このような人物である」という決めつけは控えて、さまざまな状況に対応するために自分自身を深く知ること、そして常に新しい自分を発見し続けることが重要だ。自己の「強靭性」（レジリエンス）を高めるためには、周辺環境や自分自身に対する認識の柔軟性を常に持ち続けるマインドセットが大事である。

そうすることで、「自由な社会」において、いかなる環境変化が生じたとしても上手く対応していくことができるだろう。

強靭性❷(自己連続性)

次に「強靭性」の能力を強化するために、「自己連続性」を持つことの重要性を述べていく。「自己連続性」とは、過去の自分と今の自分がつながっていると認識する能力のことを指す。

この、「過去の自分と現在の自分がつながっている」という感覚、それが「さらに未来の自分とつながる」という確信は極めて重要なものだ。

周囲の環境変化に対応し、自らの認識を柔軟に変更していく作業に取り組んでいると、必然的に自律性が失われてしまう可能性がある。いわゆる「流されて生きる」と表現される状況に陥ってしまうかもしれない。

もちろん良い意味で対応して「流れに乗る」ことに問題はないが、自己連続性が失われた状態で漫然と日々流されて生きることは、充実した人生の妨げとなり得る。

自己連続性を強く意識する人の特徴は、物事を後回しにせず、その場で片づけていくという点にある。

後述のとおり、物事を決断するスピードを速める方法はあるものの、その前提として「現在、必要なことを実行することが明日に直結する」という考え方を持つことは極めて重要だ。

簡単に言えば、「明日から頑張る」という思考では、何ら有意義なフィードバックを得ることができず、徒に時間が浪費されてしまうことになる。そのため、一昔流行った「いつやる？ 今でしょ！」ということが重要となる。

自分自身のストーリーを創るための「自己連続性」

自律分散した社会においては、何かを実行するための指示は他者から発されることはなく、自分自身が自らのストーリーを創り上げていくことが必要とされる。

自由な社会においては、自分の人生の意義を他者が作ってくれる（＝設計してくれる）

ことはないからだ。そのような不安定な状況から抜け出すには、自己連続性を意識した人生づくりが求められる。

では、「自己連続性」を意識して上手にコントロールしていくにはどうするべきか。自己の連続性を実感する方法の一つは「自分自身の強みを過去の自分と現在の自分が共有している」と感じることだ。

これは、「自分自身の強み」という共通項を見出すことで、自分自身の存在意義を確認するという心理が働くからだ。

ただし、この場合は「自己の強み」が、現在、または将来に何らかの理由が無効化された場合、自分自身の自己連続性を失う結果となってしまう。それは不確実性が高い現代社会において重大なリスクの一つとなる。

そのため、もう一つの方法として、「過去の自分と現在の自分を一つのストーリーラインに位置付ける」方法にも注目したい。

この方法を通じて、貴方は自らの自己連続性を過去・現在・未来にまで一列につなぐことで、適宜その修正を図りつつも、簡単には失われない自己に対する認識を持つことができる。

この場合はポジティブなストーリーだけでなく、ネガティブなストーリーでも連続性ができてしまうことに弱点があるが、常に前向きな姿勢を持つことを意識することで使いこなすことが大事だ。

毎日のように起きる目まぐるしい変化の中で、自らのストーリーを適宜修正し、自己を納得させて、他者にも理解されやすい形に落とし込む能力は必要不可欠なものだ。目の前に発生する状況に対して、素早く決断し、柔軟に変化するからこそ、逆に自分自身の連続性を強く意識し、自己の存在意義を見出すことができるのだ。

強靭性❸（他者理解力）

自律的に思考し、主体的に行動するためには、他者に対する理解を合理化していくことも必要だ。

世の中、生きていくためにはさまざまな人々と付き合っていくことが求められる。良好な人間関係が構築できる人だけなら良いが、人間関係を持つに必ずしも好ましくない人たちとも顔を合わせざるを得ないケースもしばしばだ。

そのような残念な状況に陥る可能性は、権威主義社会と比べて「自由な社会」では著しく減少することになるだろうが、それでもすべての問題となる人物と接触を断つことは難しい。

なぜなら、人間関係を持つ対象となる人には常に良い面・悪い面が同居しており、それまで良好な関係を保ってきた人物が、ある日突然に自分にとって不都合な人間にもなり得る。

その際、「他者に対してどのような認識を持つべきか」ということは、自由な社会においても問題となる。この際、相手の文脈を踏まえて丁寧な対応をしていたのでは、貴方の心のストレス閾値《いきち》（反応が誘起される最低量）は、簡単に突破してしまうだろう。そして、心の病などを発症してしまう最悪の事態に陥ることもあり得る。

他人に対する認識を変える必要性

自由な社会において、個人が強靭性（レジリエンス）を高めるために、認識的柔軟性や自己連続性が重要であることは既に指摘してきた。

その2つの要素で強靭性を高められることは確かだ。しかし、貴方の心にストレスの負荷をかけて、貴方の精神的タフネスを削る最大の要因は人間関係であろう。

この問題を合理的に解決しないことには、貴方の精神的なタフネスはいつかガス欠を起こしてしまう。そこで、他者の思考・行動に対する理解を行った上で、それらを合理的に再定義する作業を行うことが重要となる。
自らの認識を変えることで、他者の存在を外部から与えられた事象ではなく、自らの認識によって再定義された存在に変えるのだ。

権威主義社会では、他者の存在は「所与」であり、変えられないという前提がある。少なくとも貴方は権威主義の中心となる価値観を変える力は十分に有していない。そのため、どうしても他者に対する態度も受身になり、既存の社会構造の中に自らが組み込まれるように振舞いがちだ。そして、権力によって規定された規範の中に自分自身が位置づけられることで、他者との人間関係も半ば自動的に決まってしまうことになる。

つまり、貴方も他者も、事前に与えられた役割のロールプレイを演じることが求められる。この単純な例としては、先輩・後輩、教師・生徒、上司・部下、その他諸々、他者が決めた配置に従って、私たちの人間関係は規定されていると言えよう。

このような人間関係は初期段階では楽だが、一度不快な関係が構築されると後から更新することはほぼ不可能だ。また、権威主義社会においては、相手に望まないことを強制する行為も正当化され得る。

しかし、「自由な社会」では各個人が独立した存在として、最初から自らを定義しており、他者との関係性も、一人一人が異なる関わりを持つことが前提となる。

その他者が何者であるか、こちらも自らの主観で定義するように、相手もこちらも同じく主観で定義する。人間関係のあり方だけでなく、「お互いをどのように呼ぶか」という基本的なことすら何も決まっていない。そして、十分に自由な社会においては納得できない不快な現象に付き合い続ける必要性はない。

自由な社会ではすべての人が自分にとって、その他者が何者であるかを定義する。最初から決まった設定は用意されていないので、権威主義社会に慣れ親しんだ身では不便に感じるだろう。しかし、自由な社会では、この面倒なプロセスは付いて回る。他者との接点を持つ度に「他者の定義」を行っていく作業が必要だ。

鋭い人は既に気が付いていると思うが、自由な社会における「他者理解力」とは相手のことを受け入れるという意味ではない。

他者理解力とは「相手が自分にとって何者であるか」を定義する力のことだ。

この作業は複雑な社会において、非常に手間がかかる作業であり、面倒な情報の処理が必要になる。そして、貴方が他者に対して一度定義した関係も状況の変化があれば随時見直しをすることも必要だ。

すると、「すべての他者は貴方にとって何者であるか」という意味以上の存在ではなくなる。そのため、他者と関係を持つこと・断つことも、完全に自己都合で判断することになる。

すべての人は相手とのコミュニケーションを維持するためには、相手から必要または重要な存在となるように振舞わなくてはならない。もちろん、不快な行為をすれば関係が消滅することは当然だ。他者の関係は「所与」ではなく、あくまでも「自分の認識が創り出している存在」に過ぎない。

このような認識法を徹底するためには、後述する選択性（オプショナリティ）の概念は極めて重要となる。

他者に対して自由に定義し、関係の発展・解消を選択するためには、貴方自身の人生の選択肢が豊富であることが必要になるからだ。人生の選択肢がなければないほど、貴方にとって他者は自己の外部から押し付けられた重荷となるだろう。

「強靭性」を高めて、自律的に思考し、主体的に行動するためには、「認知的柔軟性」「自己連続性」「他者理解力」という3つの要素を意識し、自己の意識の下で自己管理していくことが重要だ。

その自己管理に磨きをかけていくことによって、予期せぬ外的なショックが生じた際でもパニックに陥ることなく、冷静に次の打ち手を考えて行動できる精神的土台を築くことができるようになるだろう。

「学習性無力感」を乗り越える方法

ここで、話題を次の能力である「選択性」（オプショナリティ）に進める前に「学習性無力感」について取り上げたい。

権威主義が蔓延し、人間が自分の人生を他者に委ねてしまう理由の一つが「学習性無力感」である。この感覚は日本において、自由な社会を創造するための阻害要因として歪《いびつ》に機能している。

「学習性無力感」[*3]は、米国の心理学者であるマーティン・セリグマン[*4]が発表した理論であり、「自分には無理だと諦めてしまう」心理状態を指す。

そのため、論理的に考えれば達成できる目標であったとしても、大した理由もなく

＊3　Overmier, J.B.; Seligman, M.E.P., “Effects of inescapable shock upon subsequent escape and avoidance responding”. *Journal of Comparative and Physiological Psychology 63: 28-33.*,1967.

気力が萎えて諦めることになる。そして、最終的には「自分には何ができるか」ということを論理的に考えることすら放棄する状態に至る。

日本に「学習性無力感」が蔓延する理由は、学校システムに起因する部分が大きい。例えば、幼少期から意味もなく公務員試験の予備試験のような学校のテストで序列を付けられ続けた子どもは「学習性無力感」に悩まざるを得ない。実際、大半の子どもにとって、その点数は何の意味も持たない数字に過ぎない。

そのため、学習性無力感を経験した子どもは、自分が社会や政治のことに口を出すことに引け目を感じるようになる。(「日本の官僚は優秀だ」という無意味な神話も学習性無力感の逆説的な産物だろう)

また、学校の無意味な序列やドロップアウトなどによって、子どもが学習性無力感に陥り、その後、自分の人生の可能性を十分に生かせなくなる。

さらに、学生の期間を終えた後も、若い頃の就職活動の成否によって学習性無力感が形成されることもある。

＊4　MARTIN E.P. SELIGMAN：University of Pennsylvania
Zellerbach Family Professor of Psychology Director, Positive Psychology Center
https://ppc.sas.upenn.edu/people/martin-ep-seligman

首尾よく内定を得た人、希望になかなか叶わなかった人の差が生まれる。その後、何年経っても最初の就職先の話をしたがる人々は絶えないが、就職氷河期世代のように学習性無力感が浸透した世代も存在する。

氷河期世代の負け組の人々は、人生の節目とされる就職活動時期に不況が直撃したことで、優良とされる企業からの採用を得ることができなかった。これは極めて不幸なことであり、その結果として心が完全に砕かれてしまった人もいる。

そして、彼らの一部は20年以上経ても、当時の経済不況による就職難に自らの人生の不幸の原因を求めて、政府に対する救済を主張している。

さらに、運良く入社できたとしても、昭和・平成世代は、入社後も絶え間ない終身雇用のラットレースに放り込まれることになった。ただし、日々の競争で尻を叩かれながらも40歳を過ぎる頃には、自分の会社員人生の終着点が見えてくる。

既に同期で出世ルートに乗った人間は頭一つ抜けた状態となり、ラットレースの勝ち負けはほぼ確定する。出世を巡るラットレースに敗北した場合、すっかり腐ってしまってしまう人も少なくない。こうした人々は自らの人生の終着点に向かって社会保障サービスなどを受給し、人生を逃げ切ることに執着するようになってしまう。

学習性無力感が一度形成されてしまうと、人間は自らの人生に対して非論理的な諦観を抱くようになり、社会に対して鬱屈とした感情を持ったまま生きていくことになる。そして、このような鬱屈とした感情の総和が権威主義の苗床になっていく。政府に人生設計を委ねることに疑問を持たない人々が作られていくのだ。

これは個人にとっても悲劇的なことであるし、社会にとっても迷惑なことである。学習性無力感が生じやすい社会では、「自由」は失われやすい。

「自由な社会」は、人々の不断の努力によって維持されるものであり、「自由」にとって社会的な諦観は最大の問題の一つだ。

学習性無力感は権威主義の味方であり、自由な社会の大敵である。（ちなみに、逆向きの視点に立つと、受験戦争で勝利した人も、何歳になっても東大卒であることを口にする人が多い。また、その後の他者の評価も、役所や会社の地位のみで語る人も少なくない。これは学歴や職歴に関する単純な自慢というよりは、自分自身を権威と一体化させることで、自らを律しようとしているからだろう。この側面からも、現在の社会モデルは権威主義の苗床だと言える）

そのため、政府が学習性無力感を創り出す機会をなくすとともに、可能な限り人々の自己肯定感を得やすい社会を作っていくことが重要となる。

例えば、前述の就職氷河期世代、当時の人生モデルは権威主義の下で「小中高（大）を卒業し、終身雇用で一丁上がり」という昭和型のモデルが頭に残っていた。だからこそ、彼らのショックは大きかった。

しかし、当時の社会モデルが単線的な人生設計の社会ではなく、さまざまな進路やキャリアが肯定される複雑な社会であれば、学習性無力感の蔓延は限定的なものであったはずだ。後者の社会では、自己と他人の人生の優劣を比べること自体が難しくなるからだ。政府が作った人生設計によるラットレースを終わらせ、人間としての自由が肯定される社会であれば、多くの人が自らの人生に充実感が得られる可能性があった。

そのため、**学習性無力感を回避する・乗り越えるためには、次項で取り上げる「選択性（オプショナリティ）」の概念が極めて重要**である。選択性（オプショナリティ）の概念を意識することで、人生に多様な選択肢を持つことが可能となる。

自分自身が肯定される、仲間意識を持つ集団に属することで、自己肯定感を高めるとともに、現実の社会を渡っていくための知識や人脈を形成するのだ。

オプショナリティを上手に活用し、自らのアイデンティティーの複雑性を高めることで、自分の船のオールを他人に預けない人生を歩むことができる。

選択性❶（会員制）

私的セーフティネットとしての「会員制組織」

「選択性」（オプショナリティ）とは、自らの人生に選択肢を持つための能力だ。

しかし、唐突に「自分の人生に選択肢を豊富に持つことは良いことだ」と聞かされても、その具体的な方法がわからなければどうすることもできないだろう。

そのため、本項からは「人生の選択肢をどのように構築していくか」という質問に答えていくことにしよう。重要な要素は「会員制（メンバーシップ）」である。

会員制という言葉を使うと、会員制高級料理店を思い浮かべる人もいるかもしれないが、これから述べる会員制組織は誰でも加入する一般的な組織を含む概念である。

世の中には会員制組織が無数に存在している。生活の糧を得る場としての会社も一つの会員組織である。国家も国籍を持つ人々の会員組織である。

また、町内会、ＮＰＯ法人、社団法人、大学ＯＢ会、任意のサークル、家族まで、さまざまな会員制（メンバーシップ制）組織である。

人間は何らかの会員制組織に一度も所属することなく人生を送ることは困難だ。竹林の七賢人[*5]ですら、彼らのグループに所属していた。その人の人生の足跡は必ず残っており、それはそのまま会員制組織との関わりを持つことになる。

特に現代社会は高度に発展しており、あらゆる種類の会員制組織が誕生・発展している。そして、会員制という名称からは排他的な印象を受けるが、実際には加入条件や活動内容などは非常に多岐に渡り、その創立・運営経緯によって異なるものだ。

加入条件は誰でも入れるものから既存メンバーからの紹介が必要なもの、活動内容も定期的・不定期、義務の有無など、やはり会員制組織によって千差万別である。

このような会員制組織は人生の可能性を拡張するために極めて有効なツールである。会員制組織に所属すると、普通の人間は何らかの帰属意識を組織に感じるようになる。

＊５　竹林の七賢人：古代中国・晋代に、山中に隠遁し、竹林に集まって酒を飲んだりしながら、きままに過ごしたとされる阮籍(げんせき)、山濤(さんとう)、向秀(しょうしゅう)、阮咸(げんかん)、嵇康(けいこう)、劉伶(りゅうれい)、王戎(おうじゅう)の七人。

そして、その帰属意識の対象は組織だけでなく、組織を構成しているメンバーにまで拡がるものだ。そのため、同一の会員制組織に所属している人々は利害、関心、時間を共有する仲間となる。仲間同士の情報交換や協力関係は人生の選択肢を豊富にする。「出会いは人生を豊かにする」という格言は事実である。しかし、他者と道端で出会うだけでは人間関係の拡がりに限界がある。

この格言を事実とするためには、他者との出会いを「見える化」することが必要だ。その見える化の技術が「会員制」なのだ。漠とした人間関係の状態から、確かな人脈に変えるためには「出会いによって生じた関わりに実態をもたらす」ツールが必要だ。

その最も手っ取り早い方法が会員組織の創設または参加を行うことである。会員制組織は人脈形成の場である。自分にとって有益な場を複数持っている人はさまざまな顔と人脈を持っている。この、持てる者・持たざる者の差は決定的であり、イザという時に人生の選択肢の数があることは決定的に重要だ。

そして、この会員制組織を「点」として、その点と点を結ぶ「線」を構築してく作業は、貴方のアイデンティティーを複雑な形で練り上げていくために重要なことだ。

通常は点と点の間には接点はないが、そのハブとして貴方が存在することで、貴方の存在に対する付加価値は、飛躍的に増大することになる。

自分の所属を一つの組織に限定せず、複雑化したネットワークの上に明確に位置付けることで、不測の事態に対処しつつ、しなやかなアイデンティティーを構築していくことができる。

仮にたった一つの組織にしか所属していない状況を想定してみよう。するとその組織から何らかの理由で脱退せざるを得なくなった時、その人の社会的なつながりは大幅に弱体化する。場合によっては「価値ゼロ」としての扱いを受ける可能性すらある。

大手企業をリストラされた人材が前職の人脈をほとんど活用できない姿を想像すればわかりやすいかもしれない。その人物を積極的に助けようという他者が現れることもないだろう。

また、たとえ無事にリストラされずに定年まで勤めあげたとしても、それまで会社一筋の人生を歩んできてしまえば、定年退職と同時に、当該人物の存在は、社会からほぼ消し去られた状態となってしまうだろう。

会社をリストラされた人でも、多くの会員制組織に所属し、事前に会社以外の人脈を有していれば、何らかの転職先が見つかるだろう。（むしろ、そのような社会的つながりを豊富に有している人材は解雇される可能性は低いが…）

さらに、専業主婦についても考えてみよう。不幸は誰の下にも訪れる可能性はある。突然パートナーから別れを告げられた場合（または死別した場合）、家庭という唯一の他者との強いつながりを喪失した専業主婦は、自らのアイデンティティーそのものを喪失してしまうかもしれない。これは人生にとって大きなリスクだ。

専業主婦の立場でも、何らかの不測の事態に備えておくことは大事なことだ。それは私的なセーフティネットとして機能することになる。

幅広い人間関係は、苦境に陥った心を癒すとともに、新たな出会いや生活の糧を見つけることに役立つ。

さらに、若い人であれば、会員制組織に所属することは、社会の先達の人脈を利用することにつながり、その人生を実り豊かなものにする「チケット」を手にすることを意味する。その行為は、人生のステージを何段階もショートカットする効果を発揮するだろう。

このような会員制組織に所属する行為には自らの時間、手間、金銭などを投じることが必要になる。

そのため、自分の中で各会員制組織との関係のウェート付けを行うことも重要だ。「自分はどこまでその組織に関与し、何を得るのか」を常に念頭に置くべきである。

一つの組織に入れ込み過ぎることなく、必要に応じて自分自身のリソースの配分を考慮するべきであろう。

そして、複数の会員制組織への所属をバランス良くこなすことで、他者との間で取引をするための資源が増加し、貴方自身が自分自身、および他者のためにできることも増えていく。したがって、会員制という概念を強く意識することで、貴方が所属可能な会員制組織がどのようなものがあるかを深堀することが望ましい。

会員制組織に所属しないとどうなるか？

仮に貴方が会員制組織に意識的に所属していない場合、貴方のマインドは大きく権威主義に傾いていくことになるだろう。なぜなら、無国籍者でもない限り、ほぼすべての人々は出生とともに何らかの国籍を取得しているからだ。つまり、貴方自身を包み込む唯一の会員組織が国家、ないし政府と言うことになる。

そのため、生活の破綻は単純に金銭的な問題だけでなく、人々の心理を権威主義に傾斜させることになる。

権威主義の蔓延は、自己の人生の補償を他者に求めることにもつながり、他者のアイデンティティーに対する過剰介入にもつながる。その多くは政府の機能を通じて行われるため、社会の雰囲気は息苦しいものになっていくだろう。

したがって、そのような個人を弱体化する状況を最小化し、「自由な社会」を創っていくためには、個人が所属する会員制（メンバーシップ）組織を充実させ、精神的・経済的なサポートが得やすい環境を作ることが必要である。

選択性❷（自己分析力）

自らを深く知る力

読者諸氏は人生に選択肢を持つために、会員制の重要性を理解できたと思う。しかし、実際にどのようにすれば「所属できる会員制組織」を見つけられるのか、という疑問が新たに浮かんできただろう。

その疑問はもっともなことで、自分自身を深く知らない限りは、自分が所属できる会員制（メンバーシップ）組織も見つかることはない。

自分自身を深く知るとはどのようなことだろうか。

そして、それはどのように実践することができるのだろうか。

自分自身の「情報」については2つの種類が存在している。
それは客観的に確認可能な「履歴」と、主観的に認識できる「心の状態」である。会員制組織の多くはメンバーの「履歴」に関する加入要件を設定している場合が多い。逆に主観的に認識できる「心の状態」は、所属者に求められる姿勢として会員制組織内部での評判などにつながる。

そのため、所属できる会員制組織を見つける作業は、まずは自分の客観的に確認可能な履歴を整理することから始まる。

実はこの作業はそれほど難しいことではない。なぜなら、履歴書をコンビニで購入して改めて記入欄を埋めてみるだけで良いからだ。通常の場合、履歴書は就職活動や転職活動の時以外に書くことはないが、このたった一枚の紙から貴方の客観的な情報を可視化することが可能となる。

履歴書には氏名（血縁）、生年月日（年代）、出生地・居住地（地縁）、学歴（学友・OB会）、職歴（職場仲間・業種仲間）、資格（資格関連団体）、趣味（趣味仲間）、賞罰などの記入欄がある。（）内は会員制組織の事例

この記入欄を見ただけでも、自分自身が有する潜在的な人脈を整理することができる。

さらに、履歴書には通常は記載しない、人生に関するプライベートな記録も書き出して整理してみよう。

家族構成、婚姻歴、宗派・人種、子どもの有無、車の有無、持ち家の有無、購読新聞、購読メルマガ、DAO所属、その他諸々の客観的に確認できる情報はすべてデータとして使える。このようなデータは複数組み合わせることで、新たなアイデンティティーを生み出すことにつながるケースもあるが、大半はそのままストレートに関連する会員制組織が存在しているだろう。

このように自分自身のデータを読み解くことで、自分自身が所属できる会員制（メンバーシップ）を自然と導き出すことができる。

後は関連する会員制組織を詳細に調べて、その中から気乗りするものを選ぶだけで良い。すると、複数の会員制組織に加入することが可能となる。

前述の作業をしても何も見つけられないという人は滅多にいない。たとえそのような人が存在していたとしても、それは自分自身の人生を十分に思い出せていないだけのことだ。

ここで重要なことは、一見するとネガティブな客観的な情報であったとしても、自分の主観的な捉えようによってはポジティブな要素にも変わるということだ。

例えば、普通の人が持っている「○○の経験・履歴がない」ということは、弱みのようにも思えるが、それは捉え方・考え方次第では魅力に転換することができる。具体的には、生まれた地域から一歩も外に出たことがない人は、外の世界のことは知らないが、誰よりもその地域の情報に精通している可能性が高い。

当人にとっては当たり前のことでも、他者から見れば特別なことは幾らでもある。その一つ一つを、「自分のアイデンティティーを構成する強み」として再構築し、会員制組織を見つけていくことが重要なのだ。

また、倒産歴や離婚歴がある人は通常、そのことを隠そうとする人も多いが、これも見方を変えて、人間としての成長のストーリーとして捉えることもできる。経営者仲間や同性のコミュニティの中で一目置かれる要素になる可能性すらあるだろう。

最初はネガティブな要素をポジティブな要素として捉えることは難しいかもしれないが、自分のアイデンティティーは必要であれば使えば良く、そうでないなら使わないというだけのことだ。割り切りが大事である。

所属先選びでは、自分のキャラクターやリソースとの間で整合性を付ける必要がある。会員制組織には必ず組織文化が存在しており、その組織文化と自分のキャラクターやリソースが合わないことは往々にしてある。その際は無理をせずに、その組織には近づかない、もしくは脱退することをお勧めする。

このように自分自身を深く見つめ直すことで、特に取り立てて何かできると思っていなかった自分の人生の可能性が大きく開けてくる。そして、そこで出会う人々との交流を通じて、自分自身に対する承認を得ることで、自律した判断を行っていくための自信が身に付くことになる。

自分自身のアイデンティティーを分散して管理し、それを自分自身の方針に従って自律的に再統合する行為こそが、自由な社会に生きるための能力だと言える。

このための資源はすべての人の人生に内包されており、自由への意志を地に足を付けたやり方で解放していくことが望まれる。

選択性❸（心理選択）

唐突だが、「ジャムの法則」[*6]という言葉を聞いたことがあるだろうか。

ジャムの法則とは「数え切れない種類のジャムが置いてある店と、限られた種類のジャムが置いてある店では、どちらが購買行動につながりやすいのか」という観察から得られた知見を指す。

ジャムの種類が多いほうが消費者にとって望ましい購買環境のように思えるが、結果として、実際には選択肢が絞られている場合のほうが購買行動につながりやすかったという。

この法則は「人間が無数に選択肢を有していると何を選択して良いかわからず、ある程度の選択肢が絞られているほうが選択しやすい」という心理的働きを説明している。

＊6　Sheena S. Iyengar, *The Art of Choosing*. New York: Twelve, 2010.

さて、ここまで会員制を通じて複数の組織に所属する重要性を説明し、そのうえで自らが所属すべき組織の探し方までを解説してきた。しかし、ここまでのやり方は理解したものの、あまりにも選択肢が多く存在していることに気が付き、何から手を付けて良いのかわからないという読者もいるだろう。実際、自分では選択できないという気分に陥り、実際の行動がフリーズする人のほうが多いものと推測する。

選択の方法と実践

自らを分析して得られた所属候補先の組織の選択肢の中から実際に「何を」「どのように」「優先して」選べば、自分自身が幸福になるための手札を入手したと言えるだろうか。そこで役立つのが米国の精神科医であるウィリアム・グラッサー博士が1965年に提唱した「選択理論」[*7]である。この選択理論では「脳に与えられる刺激はすべて情報」だと定義し、自らの思考と行動は管理可能なものであると定義されている。

そして、外部から与えられる刺激で自己がコントロールされるのではなく、あくまでも内部からの動機付けによって自己の行動を変えていくことが重要とされている。

＊7　Glasser, W. , *Reality Therapy: A New Approach to Psychiatry*, New York: Harper & Row., 1965

この内部からの動機付けとなる欲求には「生存欲求」「愛・所属の欲求」「力の欲求」「自由の欲求」「楽しみの欲求」が存在しているとされている。

生存欲求は身体的安全や生命を維持できる環境（食事）が十分に確保されることを指し、愛・所属の欲求は家族・友人などと愛を育める環境があることが重要とされる。また、力の欲求は獲得欲求・承認欲求が満たされること、自由の欲求は誰にも束縛されない自由な環境があること、楽しみの欲求は喜んで行動する（知的関心などを満たす）こととされている。

人間は各欲求の程度を異なるバランスで保有しており、個人としてその欲求が満たされた状態を「上質世界」と呼んでいる。そこで、自分自身の欲求のバランスを整理することで、自分自身がどのような会員制組織に所属すれば、自分の欲求に沿う形で人間関係を構築できるのか理解することができるようになる。

このような自分自身の欲求を知る作業を通じ、「自分自身が、どの会員制組織に幾らの比重をかけてコミットするべきか」を明確に知ることができるようになる。

自分自身の欲求バランスを満たすために適した関わりを持っていくことで、自分自身のあり方に納得した人生を過ごすことができるだろう。

陰謀論・フェイクニュースに対する耐性を持つための方法

騙されやすい人の特徴

2020年アメリカ大統領選挙の際、陰謀論やフェイクニュースが蔓延し、世界中でそれらに感染した人々が大量に発生した。

米国の諜報機関の報告書によると、ロシアなどの敵性国家が関与した可能性が指摘されていたが、現在のロシアによるウクライナ侵攻を巡るSNS上のプロパガンダの氾濫ぶりを見れば、然《さ》もありなんと思う。

陰謀論やフェイクニュースは荒唐無稽なものが多く、それらを信じる人が発生することと自体がおよそ信じ難いものだ。

しかし、実は、それらの本質を捉えていなければ、どのような人であったとしても、何かの拍子で沼にハマってしまう可能性がある。そして、一度ハマった人々には、どのように常識を説いたとしても逆上するだけで効果がない。

陰謀論やフェイクニュースにハマる理由は、人間が他律的な思考に支配され、受動的な人生を歩まされていると思い込むことにある。

つまり、他人によって社会のあり方や自分の人生がコントロールされている、しかも、それが目に見える存在として認知できない時、人間は荒唐無稽な陰謀論の沼に落ちてしまうのだ。

日本において、陰謀論やフェイクニュースを扱うネットニュース番組を通じて、沼に落ちた人々には、定年退職を迎えて引退した年齢の人々が多数見られたことは偶然ではない。

本来、年齢を重ねた経験豊富な人々は、荒唐無稽な情報の嵐に対して冷静かつ穏やかな判断をすることが社会的役割として求められる。しかし、現実には社会的引退に追い込まれた彼らは、残りの人生で自律的思考や主体的行動を必要とされなくなり、

自ら沼の中にはまり込んでしまったのだった。（これは男女ともに同じことが言える）

別のケースもある。

実は社会的成功者も陰謀論の沼にハマりやすい人々だ。これらの人々は会社経営などをしており、一見すると社交的で人脈も広いことに特徴がある。

しかし、実際には経営者は、自社内では常に孤独な存在であり、しかも自らの存在を会社組織のみに依存している。

こうした人々は、エネルギッシュで主体的なように見えるが、多くの他の経営者の栄枯盛衰を見聞きし、人には言えない嫉妬を重ね、人生には努力だけではなく、運の良さも重要であることにも腹の底から気が付いてしまう。

そこに沼が近寄ってくるのだ。喫茶店などで沼にハマった人々が他者に陰謀論やフェイクニュースの話をしている姿は他者からは見ていられないものだが、こればかりは自分で沼から抜け出すことをしない限りどうしようもない。せめて、他者の時間を奪ったり、社会的な迷惑行為に及んだりしないことを願うばかりである。

自律的思考で騙されにくく生きる

では、われわれ自身がそのような悲惨な状況にならないため、どのような能力や姿勢を身に付けるべきであろうか。最も有効な方法は、人生を自律的に思考し、主体的に行動するように心がけることだ。自律的な思考を持つための方法は、自らの存在を一つの場に依存させないこと。つまり、常に社会に関心を持って複数の会員制組織に所属することだ。

自らのアイデンティティーの多様性を積極的に構築すること、そして仮に一つのコミュニティとの関係が終わっても、それで社会的なつながりのすべて終わることがないようにすることが重要だ。そうすることで、自らの思考のあり方が複雑化し、特定の存在が世界を支配していると思い込むことはなくなる。

また、主体的に行動することも必要だ。自分でできることに取り組むことである。人間ができることには限りがあり、何でも実現できるわけではない。およそ「闇の世界を支配するディープステート（陰謀論で良く登場する）」をYouTubeの動画を視聴したところで打倒できるはずがない。冷静になれば誰でも理解できることだ。

自らの人生に主体性を取り戻す方法は、自らにとって「コントロール可能だ」と確信できることに真摯に打ち込むことだ。

つまり、自分の目に入る範囲の世界の支配権をしっかりと自らの手に確立することである。そのうえで、地に足がついた形で自らの世界を再度、広げていくことだ。

このような人生の選択を常に行うことで、陰謀論やフェイクニュースに対する免疫を作り、「自由な社会」で生きていく土台が構築されることになる。

決断力❶（敏捷性）

スピード感のある意思決定のために必要な能力

「決断力」（デタミネーション）も重要な能力であり、それは決断の速度・精度を上げることを意味する。優れた決断は熟慮の末に生まれるものだけではない。

特に現代社会は、複雑で変化のスピードが速いため、決断までの時間を要すれば、それだけその決断の価値は下がってしまう。

そのため、決断を下すまでの「敏捷性」は極めて重要な要素となる。常に周囲の状況を観察し、適宜優れた方向付けを行い、判断を繰り返していくことが必要だ。

現代よりも社会の変化のスピードが遅かった時代は、マネジメントの手法として

ＰＤＣＡサイクルが重要視されてきた。これはPlan（計画）、Do（実施）、Check（評価）、Action（改善）というビジネスサイクルの基本的な流れを示したものだ。

日本企業はこのＰＤＣＡサイクルを是とし、多くの企業が品質改善活動に取り組んできた。ＰＤＣＡサイクルの概念は行政機関にまで波及し、１９９０年代後半には政府のマネジメントサイクルの見直しに寄与することになった。

このＰＤＣＡサイクルは私たちの日常生活においても自然と行われているものだ。大半の人々は日々漫然と生きているように見えても、政府が設計した人生の範囲内で、ＰＤＣＡサイクルを回して生きている。

それは仕事であったり、資格試験であったり、プライベートの出来事であっても同じことだ。とは言っても、ＩＳＯ９００１の規格で定められたとおり、人間が自らを文書管理して生きているはずもなく、無意識のうちに何となくＰＤＣＡサイクルを回しているにとどまる。仮に、自らの日々の計画を予定どおりに実行し、その進捗をカレンダーを通じて管理し、人生のＰＤＣＡサイクルを回している人は、余程強い意志を持った人間だと言えるだろう。

ただし、ＰＤＣＡサイクルは中長期の計画のマネジメントには役立つが、数年の間に劇的に物事が変わる環境の中では、必ずしも優れた意思決定に資するツールとは考えられなくなっている。

なぜなら、PDCAサイクルを現場の改善活動以外の意思決定にまで拡張した結果、PDCAサイクルの起点となるPlan（計画）から最後のフィードバックであるAction（改善）までのリードタイムが冗長になり過ぎており、環境変化に必ずしも付いていけなくなったからだ。そして、多くの無駄な管理プロセスが生まれたことで、複雑な事象にタイムリーに対応することができなくなってしまった。当然、その課題は組織でも個人でも同じことが言えるだろう。

そのため、新たに注目されてきた概念が「OODAループ」である。これはObserve（観察）、Orient（情勢判断）、Decide（意思決定）、Act（実行）の頭文字を取った概念である。

OODAループは、アメリカ空軍のジョン・ボイド大佐が発案し、航空戦パイロットの意思決定に関する理論であったが、その理論が経営学の分野に応用されたこと広く普及した理論だ。

朝鮮戦争時代の航空戦において、ソ連製の航空機に対して機体性能が劣っていた米軍が圧倒的な戦果を収めた理由を、航空機操縦者《パイロット》の「意思決定速度の差」に見出したことから開発された。

現代社会では複雑な事象を瞬時に判断し、行動することを繰り返すことが求められる。OODAは判断を瞬時に行うため、どのようなプロセスが必要かを端的に表している。OODAループの中で最も重要な要素は、2つ目のOであるOrient（情勢判断）である。最初のO（観察）で得られた生データによって、D（意思決定）し、Act（実行）するためには、2つ目のO（情勢判断）で妥当な判断を瞬時に導く必要がある。したがって、2つ目のOrient（情勢判断）を深く知って意識的にコントロールできることが重要となる。

Orient（情勢判断）に必要なことは、新しい情報を認知し、組織の常識に照らし合わせ、過去の経験や得られた知識の引き出しを活用し、分析・統合することだ。この際、特に重要な要素は、分析・総合であり、情報をバラバラに分解し、それらを再統合することで、一つの判断を導く行為だ。

これは人間の認知のプロセスを説明したものであり、何かを理解するためには、要素に分解し、再統合するという行為はすべてのことに共通している。

状況に対する情報を要素分解した上で再統合すると、自分が抱いていた既存の状況認識との差異に気が付くことになる。それが優れた意思決定をタイムリーに導きだすために重要となる。このような意思決定は形式知ではなく、暗黙知として処理されることも多く、自分自身がどのような意思決定の癖を持っているかを認識することは、決断の質の向上に大いに資することになる。

もちろんそのような理論を知らなくても凄い人はいるが、理論を学習した上でさらに本能的に判断できる人のほうが最終的には強いだろう。なぜなら、その学習した人は自らの考え方を他者に移植することができる人であり、その社会的遺伝子が拡大していくことで自らにとってさらに生存しやすい環境を創り出すことができるからだ。

研ぎ澄まされた感覚を持って状況に適切に対応し続けることは、変化が激しく複雑化した世の中で優れた決断を下すために必要な能力である。これは個人、会社、国家も同じことだ。ＰＤＣＡで自らの計画の大枠の流れを把握しつつ、常にＯＯＤＡサイクルで導かれた情勢判断の積み重ねにも敏感に反応し、計画や行動の内容を修正すること。それこそが自由な社会で生き残る適者生存のためのノウハウであろう。

決断力❷（習慣化）

優れた判断は日々の習慣から作られる

習慣化は優れた状況判断を行うために必要な行為である。優れた決断は一日ではならず、反復行為により暗黙知化されることによってもたらされる。そのため、優れた行為を習慣化できるかは、決断の質の向上を左右する重要な要素となる。

２００６年公表されたデューク大学の調査報告「Habits—A Repeat Performance」[*8]によると、「毎日の行動の45％が習慣によるもの」とされている。つまり、われわれはその場の思い付きではなく、決まった行動を一日の約半分を行っていることになる。

＊８　David T. Neal,Wendy Wood, and Jeffrey M. Quinn, Habits—A Repeat Performance, *Current Directions in Psychological Science, Volume 15, Issue 4, Pages: 198 - 202*
https://dornsife.usc.edu/assets/sites/545/docs/Wendy_Wood_Research_Articles/Habits/Neal.Wood.Quinn.2006_Habits_a_repeat_performance.pdf

改めて考えると、自分自身の一日の記憶をすべて鮮明に覚えている人はいないだろう。

これは人が無意識のうちに習慣化された行動をとり続けていることの証左だ。この習慣化された行動が「良いものとなるか、悪いものとなるか」による蓄積は、個人の決断力に決定的な差異をもたらすことになる。

ロンドン大学の研究に「How are habits formed: Modelling habit formation in the real world」という論文がある。[*9] 同論文によると、「習慣が定着するのに66日かかる」と示唆されている。

つまり、この論文の内容を信じると、一つの行動が習慣として定着するまで2か月程度が必要とされることになる。(ただし、実際には時と場合によって期間は違うとする他の論文もある。しかし、いずれの論文でも少なくとも1年間続ければ習慣になり得るという点は一致しているようだ)

そして、効率的に習慣を形成するためには「場所」「時間」「状況」という概念が重要となる。つまり、習慣化を実施するためには、自分にとって良い習慣が行われる場所、時間帯、状況を意識的に作っていくことが必要だ。

また、習慣化を容易にする方法として「タイムマーカー」、つまり記念日を活用する

＊9　Phillippa Lally, Cornelia H. M. van Jaarsveld, Henry W. W. Potts, Jane Wardle, How are habits formed: Modelling habit formation in the real world, *European Journal of Social PsychologyVolume 40, Issue 6 p. 998-1009*
https://onlinelibrary.wiley.com/doi/abs/10.1002/ejsp.674

方法もある。タイムマーカーは一年のうちに必ず訪れる日程を利用する方法であり、ある日程で毎年のようにポジティブなイベントがあるように設定すると、その日程に向けて自らの行動にプラスの影響が与えられることになる。

成長する企業の社長がスポーツジムに通う日課を持っていたり、自社設立周年イベントなどを好むことには、実はこのような習慣化の理論による裏付けがあるのだ。

そして、難しい決断を下すためには、その決断以外の事柄に関して、習慣化されて省エネ設計になっていることも重要だ。なぜなら、貴方が明確に意識しないでもできることが多いほど、人生を変える選択を検討する時間・手間に意識を割くことができるからだ。特に新規事象に対応するためのストレスを感じる機会を少なくすることは好ましいことである。

習慣化された行動は、自己肯定感をもたらすことにもつながる。習慣化された行動に関して小さな成功を積み重ねることは、自分自身に対する自信を形成することになる。それは自律的な思考に基づく主体的な行動を促進する効果を生み出すことになるだろう。

さらに、自らが良い習慣を持っていると、その習慣が周囲に伝搬する可能性もある。貴方が所属するコミュニティにおいて、貴方が主導的立場であった場合、その習慣が瞬く間に伝搬することも想定し得る。

それは社会的規範化と呼ばれる現象であり、貴方自身が周囲の行動モデルとなるのだ。そのため、貴方の定着させた良い習慣が集団の中で当然視されることで、コミュニティ全体にも前向きな結果をもたらすことになるだろう。

逆にその習慣を受け入れない人々は別の場所に移籍するため、貴方の生活環境の改善はいっそう進むことになる。

まずは何事も一人から始めることになると思うが、良い習慣を身に付けることはさまざまな次元での決断力を向上させることに影響を与えていくだろう。

決断力❸（読書）

読書がなぜ重要なのか

最後に「読書」の重要性についても触れておこう。人間が何らかの困難な決断を行うためには、自己がなぜ存在しているのか、という実存主義的な問いに対する回答が重要となる。

権威主義社会においては、個人の自由や自己実現が抑圧されているため、社会全体が権威主義的な価値観に従って行動することが求められる。

そのため、自己の存在意義が社会に対する奉仕となり、自己存在の不条理さを認識して苦しむ必要もない。全体の中の一部として暮らすことで、十分に自らの存在意義を見出すことができる。

しかし、自由な社会においては、そもそも人間そのものがこの世に存在することの意義は予《あらかじ》め明確になっているものではなく、何らかの判断を下す際の基準も事前に明確に定まっているわけではない。そのため、自らの中で自己存在に関する内発的な価値を見出すことが必要となる。その価値判断の軸がなければ「決断」を行うことは困難なものとなるだろう。読書はその価値判断を磨くために有益な方法である。

多くの人は書籍を一冊も残さずにこの世を去ることになる。そのため、その人の人生や思想を追体験することは非常に困難だ。

一方、書籍を残した人々は、自らの人生や思想に関するデータを社会に対して残したことになり、後世の人々はその書籍を読むことで、他者の人生や思想を自らに摂取することが可能となる。そのため、読書は実質的に精神的な長寿を実現する方法と言って良い。

このように他者の人生や思想を加味した上で、自律的思考を基にして行われる価値判断は優れた決断を生み出すことにもつながる。

また、読書はさまざまなアイデンティティーを自らに接種する行為でもあり、自己のアイデンティティーの複雑性を高める効用もある。人間が自らの経験からだけで得られる情報は限定されており、他者の価値観を得ることでアイデンティティーの取捨選択を行う力が増加する。

例えば、日常生活を送っている際に見聞きする内容は、社会の多数派を形成する価値観の話題に偏りがちだ。社会的少数派に位置するマイノリティーの主張は、一部のマスメディアなどを通じて得られるだけとなる。（マスメディアはマイノリティーとしてリベラルな価値観を持つ人々を取り上げることもあるが、それはマスメディアに取り上げられている時点でメジャーな存在になっているとも言える）

しかし、そのようなマイノリティーの主張に関しても、読書はまとまった形で情報を得るために効率的な方法となる。

その結果として、今まで自分自身ですら気が付かなかったアイデンティティーの発露が起き、自分の中に新たな要素を加えることができるかもしれない。そして、自らの中に多様な価値観を容認して組み合わせる「分散性」を高度な形で持つことにつながっていく。

世の中に対する多様な見方を組み合わせた価値判断は、貴方自身の決断に独自の価値を生み出すことになるだろう。その決断を行った理由自体が社会に新しい見方を提供し、社会全体の質の向上につながることも考えられる。

このように読書は個人にとっても有益であり、自由な社会にとっても有益な行為である。書籍離れが指摘される昨今だが、まだ十分に価値があるものと言えるだろう。

本章では自由な社会で生きる能力を概観してきた。

もちろん、このような能力をすべての人が持つことができるわけではない。しかし、その一部を自分の生活の中に取り入れることは可能だろう。そうすることで、個人が自分自身の人生を自らの意思で生き、個人が自分自身の能力を最大限に発揮し、夢や目標に向かって進むことができる。

自由な社会においては、個人は自己決定権を持ち、自己責任で自分の人生を生きることができる。自由な社会は、個人の自由と尊厳を尊重し、人々が自由に生きることができる社会だ。その社会の構成員の一人一人が権威主義に対抗する能力を持つことが重要である。

自由から逃げ出すことは、簡単で誘惑的なことだ。

自由からの逃走が常態化することを通じ、人間は自分自身の可能性や人生の意味を自ら閉ざしてしまう。そして、最終的には自由の存在すら忘れてしまう。

人々は権威主義社会の中で暮らすことに、わずかな違和感を覚えつつも、その違和感の正体すら認識できなくなっている。

筆者もさまざまな出会いを経ていなければ、現在のように「自由」について考えるパーソナリティーを持つことはできなかったであろう。

筆者の場合は、政治に関わったことで、他人の人生を設計する行為の一部に偶々《たまたま》関わることができた。その現場の中で試行錯誤を繰り返した結果として、権威主義が持つ滑稽さに気が付くことができ、自分自身も自由からの逃避行動を止めることができた。

そのような気付きが得られたことは、本当に運が良かったと思うし、これまでの人生で出会ってきた人々に感謝している。

そのため、本書は筆者にとっては恩返しの意味も込めて書いたものだ。

これまでの人生の出会いの中で、自由の大切さを諭してくれた諸先輩からの薫陶に対し、本書を通じて自由の概念を社会に還元することをもって、その恩返しとしたいと思っている。

現代社会では、貴方が生まれた段階で既に他者が作った人生設計が用意されている。そして、その人生設計のプロセスを経る中で、成功や失敗を繰り返し、人生を終える瞬間を迎えることになる。

貴方が人生に何ら疑問を抱かないように、さまざまな政策が用意されており、何となく決まった人生を過ごしていくことになる。

インターネットを開いてみれば、この社会の既存の枠組みの中でいかに賢く過ごしていくか、という情報が溢《あふ》れ返っている。さらに、メディアも含めて、リベラルで画一的な価値観が貴方に対して押し付けられている。正しい人生のスケジュールや価値観が他者によって事前に形作られており、貴方は「自由とは何か」ということを考えることすらできなくなっている。

もし貴方が権威主義の創り出した、それらの鳥かごから抜け出し、自らの意志で生きようとするなら、自由は何気ない顔をしながら、貴方の人生の伴走役として姿を見せるだろう。自由は時に厳しいものであり、心地よいものであり、不安を煽るものであり、幸福をもたらす。自由は貴方の人生に充実感をもたらす存在である。

本書の内容がそのような自由の存在を感じられるようになる一助となれば、筆者にとっては望外の喜びである。

人々が自由を忘れてしまったとしても、自由そのものが失われてしまったわけではない。自由は常に貴方の傍らに存在しており、われわれがその存在を思い出すことを待っている。

2023年4月吉日

渡瀬 裕哉

【著者紹介】

渡瀬裕哉（わたせ・ゆうや）

パシフィック・アライアンス総研所長・国際政治アナリスト、早稲田大学招聘研究員。1981年生まれ。早稲田大学大学院公共経営研究科修了。機関投資家・ヘッジファンドなどのプロフェッショナルな投資家向けの米国政治の講師として活躍。創業メンバーとして立ち上げたIT企業が一部上場企業にM&Aされてグループ会社取締役として従事。同取締役退職後、日米間のビジネスサポートに取り組み、米国共和党保守派と深い関係を有することからTokyo Tea Partyを創設。全米の保守派指導者が集うFREEPACにおいて日本人初の来賓となった。また、国内では東国原英夫氏など自治体の首長・議会選挙の政策立案・政治活動のプランニングにも関わる。
主な著作に『日本人の知らないトランプ再選のシナリオ』（産学社）、『トランプの黒幕 日本人が知らない共和党保守派の正体』（祥伝社）、『なぜ、成熟した民主主義は分断されるのか』『2020年大統領選挙後の世界と日本』（すばる舎）、『税金下げろ、規制をなくせ 日本経済復活の処方箋』（光文社新書）、『無駄（規制）をやめたらいいことだらけ 令和の大減税と規制緩和』（ワニブックス）などがある。

BookDesign・図版作成：山田知子（チコルズ）
カバー写真：Sdkb, People celebrate in the streets after the major networks declare Joseph Biden the winner of the 2020 U.S. presidential election. (CC BY-SA 4.0)

社会的嘘の終わりと新しい自由
2030年代の日本をどう生きるか

2023年　4月28日　第1刷発行

著　者――渡瀬裕哉
発行者――徳留慶太郎
発行所――株式会社すばる舎
〒170-0013 東京都豊島区東池袋3-9-7 東池袋織本ビル
TEL　03-3981-8651（代表）03-3981-0767（営業部直通）
FAX　03-3981-8638
URL　https://www.subarusya.jp/
印　刷――株式会社シナノ

落丁・乱丁本はお取り替えいたします

ISBN978-4-7991-0942-7